こんちゅうかん
昆虫館へ
行こう！
JN117501

はじめに

みなさんは、ムシのことが好きですか？　それとも苦手ですか？

この本を手にしたあなたは、少なからずムシに興味のある方だと思うので、カブトムシやクワガタムシを飼育したことがあるかもしれません。または、網で蝶やバッタなどを捕まえたり、指をくるくる回してトンボを捕まえたりしたことがあるかもしれません。

いっぽうで、そもそもムシが苦手という人もいます。なかには子どもの頃はムシを飼い、触ることができたのに、大人になってからキライになったという、残念な話も耳にします。

地球には、さまざまな生き物がくらしています。これまでに知られている全世界の動物の総種数約175万種のうち、哺乳類が約6000種、鳥類が約9000種で、昆虫は約95万種もいます。このように昆虫類は多様で、いたるところに生息しているため、自然生態系のなかでは重要な働きをしており、昆虫を知ることは、私たちにとって大切なことなのです。

私の働く多摩動物公園には、一年中蝶が舞う温室などの施設がある「昆虫園」があります。ここのスタッフは、生きた昆虫を飼育して増やし、最高の状態でみなさんに見ていただくために、毎日昆虫と向き合っています。

国内にはこのように、「生きた」昆虫を見せてくれる「昆虫館」と呼ばれる施設が20以上もあるのです。しかも、子供から大人までのすべての人たちに、ムシ(昆虫)の面白さやすばらしさを伝えるために、各施設の人たちは協力し合っているのです。

「昆虫館へ行こう!」は、そんな昆虫館のスタッフが、ひとりでも多くの小学生に昆虫の面白さや見どころなどを知ってもらえるように、「選りすぐり」の記事を書き上げ、一冊にまとめたものです。巻末には、全国各地の昆虫館の情報も載せてあります。

読み終えたら、ぜひ昆虫館に足を運んでみてください!

この本が、昆虫や昆虫館の面白さを発見するきっかけになることを願っています。

全国昆虫施設連絡協議会　会長　渡部浩文(多摩動物公園長)

もくじ

はじめに（全国昆虫施設連絡協議会　会長　渡部浩文（多摩動物公園長））……2

01 昆虫観察におすすめ　ヤブガラシの花と虫たち（伊丹市昆虫館　野本康太）……6

02 「チョウ」と「ガ」の見分け方を教えて！（栃木県井頭公園花ちょう遊館　西舘良平）……12

03 探してみよう！　いろいろなカマキリ（橿原市昆虫館　辻本始）……18

04 自然界のお掃除屋さん　オオセンチコガネ（長崎バイオパーク　中村頌湧）……24

05 昆虫館でのいろいろな楽しみ方（箕面公園昆虫館　清水聡司）……30

06 ゴキブリを撮影するコツ（磐田市竜洋昆虫自然観察公園　柳澤静磨）……38

07 展示を見てもらうための工夫（足立区生物園　今井陸斗）……44

08 ダンゴムシみたいに体が丸まるゴキブリ（東京都多摩動物公園　昆虫園　角田淳平）……52

09 昆虫のイラストを描いてみよう！（足立区生物園　中村玲子）……56

10 ゴキブリ飼育のススメ（東京都多摩動物公園　昆虫園　関本風太）……60

11 最大級の蛾　ヨナグニサン（アヤミハビル館　杉本美華）……64

12 チョウの行動を観察してみよう！（東京都多摩動物公園 昆虫園 片田 菜美）…… 68
13 昆虫園を裏から支えるフタホシコオロギ（東京都多摩動物公園 昆虫園 関本 風太）…… 72
14 色が変わる不思議な蛹（東京都多摩動物公園 昆虫園 田村 隼人）…… 76
15 チョウの好きな色は何色でしょうか？（橿原市昆虫館 辻本 始）…… 80
16 玉繭によるカイコたちのシェアルーム（磐田市竜洋昆虫自然観察公園 柳澤 静磨）…… 86
17 標本収蔵数約250種のフンのコレクション（伊丹市昆虫館 角正 美雪）…… 92
18 ぐんま昆虫の森で虫さがし！（群馬県立ぐんま昆虫の森 金杉 隆雄）…… 98
19 ピッタリはまる精巧な形（足立区生物園 腰塚 祐介）…… 104
20 私の好きないもむしの脱皮（（公財）宮崎文化振興協会大淀川学習館 永田 涼花）…… 110
21 コガネグモの仲間たち（磐田市竜洋昆虫自然観察公園 柳澤 恵）…… 114
昆虫館へ行こう！…… 116
昆虫用語ミニ解説…… 124

昆虫観察におすすめ ヤブガラシの花と虫たち

伊丹市昆虫館
野本 康太

みなさんはどんなところに、虫を探しにでかけますか?

カブトムシや**クワガタムシ**がお目当てなら雑木林。**バッタ**や**カマキリ**に出会うなら河川敷などの草むら。**アメンボ**や**トンボ**の**ヤゴ**なら、近くの公園の池や水路などを覗いてみると見つかるでしょう。

そして、**チョウ**や**ハチ**、**ハナムグリ**などの昆虫観察におすすめなのが、草木に咲く花のある場所になります。

公園や学校などの花壇や樹木の花を探してみるのも良いと思いますが、私のおすすめはみなさんの暮らしの身近にあり、花の咲く期間が長く、虫たちに大人気の花、『ヤブガラシ』です。

ヤブガラシは、ブドウ科のツル植物です。他の植物などに巻き付いて大きく育つため、「ヤブを覆いつくして枯らしてしまうほどの勢いがある」という意味からヤブガラシという名が付きました。

ヤブガラシの花の蜜を吸うアオスジアゲハ

ヤブガラシの花の花粉を食べるコアオハナムグリ

河川敷の草むら、雑木林の林縁、田畑の畔、民家の生垣、公園や学校のフェンス沿いなどに生育します。雑草という花はないのですが、いわゆる雑草扱いされている植物です。

ヤブガラシの花は、直径5㎜ほどの小さな花が、テーブル状にたくさん集まって咲く集散花序です。

小さな花には薄緑色の花びら(早期に脱落します)が4枚あり、中央に**め**しべが1つと、**お**しべが4つあり、若い花はオレンジ色です。

大きな花びらを持たず、色も地味で目立たないのですが、じっくり観察するとめしべの根元にきらりと光る蜜、おしべの先に花粉があるのがわかります。

花は小さくてもたくさん咲き、いろいろな昆虫にとって着陸しやすく、蜜や花粉に口が届きやすい形をしているのが人気の秘密のようで、昆虫観察にはもってこいです。

ヤブガラシの花は6月から10月ごろまで咲いています。花を見つけたら虫がいないか探してみましょう。

もしかしたら、蜜を舐める**アリ**、花粉を食べるハナムグリがいるかもしれません。

蜜を舐めるシリアゲアリ属の１種

ヤブガラシの花

蜜を吸うアゲハ

蜜や花粉を舐めるハエの仲間

じっと待っていれば、チョウやハチ、**ハナアブ**などもやってきます。運が良ければ、蜜や花粉を求めてやってきた虫を狙う、**カマキリ**や**キリギリス**、**クモ**など肉食のハンターに出会うこともあります。

近所の緑地でヤブガラシを観察していた私は、花にやってきた**ハエ**を捕まえて食べる**ハラビロカマキリ**を見つけました。

しばらく見ていると、そこに**アオスジアゲハ**が、「カマキリが食事中の今のうちに」といった感じで、ゆうゆうと蜜を吸っていたのです。

さらに、ヤブガラシの葉っぱにもご注目。葉は5枚の小葉からなる鳥足状をしているのですが、食べられた痕やフンがあれば、**コガネムシ**や**スズメガの幼虫**がいるかもしれません。黒地に赤や黄色の目玉模様がズラリ、ピコピコ動く尾角が特徴の**セスジスズメの幼虫**。

なぜか複数で葉っぱを食べていることが多い**アオドウガネ**や**ヒメコガネ**などがよく見つかります。

みなさんの家の近くに生息するヤブガラシには、どんな虫が来ているかな？　探して観察してみましょう。

蜜を吸うアオスジアゲハと、ハエを捕まえて食べているハラビロカマキリ

蜜を舐めるキアシハナダカバチモドキ

葉を食べるセスジスズメの幼虫

「チョウ」と「ガ」の見分け方を教えて!

栃木県井頭公園花ちょう遊館
西舘 良平

昆虫の世界に、チョウとガがいることは、みなさんも知ってますよね。

では、**チョウ**と**ガ**の見分け方は、わかりますか？　今回は、ちょっと残念な見分け方も含めて、チョウとガの見分け方を説明したいと思います。

【美しいハネをしているのがチョウで、地味なハネをしているのがガ?】

ハネの美しさで見分ける方法ですが、これは✖。地味なハネをもつチョウは数多くいますし、とても美しいハネをもつガもたくさんいます。

【昼に飛ぶのがチョウで、夜に飛ぶのがガ?】

昼と夜の活動時間で、見分ける方法ですが、残念ながらあと一歩です。

確かにチョウは昼にしか飛びませんが、ガには昼間に活動する種類もいます。そのため夜に飛んでいたら、ほとんどの場合はガなのですが、昼に活動するチョウとガを

左側が、ガのオオヒサゴキンウワバ。右側が、チョウのオオチャバネセセリ。ハネが地味なチョウは、この他にもイチモンジセセリやジャノメチョウなどがいる。逆に美しいハネをもつガには、オオミズアオやサツマニシキ、シロシタホタルガなどがいる。

ハネだけでなく、体の色も美しいシロシタホタルガ

すき通るような緑色のハネが美しいオオミズアオ

昼間に活動するガは、イカリモンガ、カノコガ、キンモンガなど。夕方に活動するチョウは、オオヒカゲ、クロコノマチョウ、サトキマダラヒカゲなどがいる。

夏の昼間によく見かけるカノコガ

夕方に活動が活発になるクロコノマチョウ

見分けることはできないのです。

特に夕暮れ時は、チョウもガも活動する種類がいるため、飛んでいる時間帯で見分けることはできません。

【花の蜜を吸うのがチョウで、樹液を吸うのがガ？】

食べ物で見分ける方法ですが、これも✖。樹液に集まるチョウもいれば、花の蜜を吸うガもいます。

【ハネをたたんで止まるのがチョウで、ハネを広げて止まるのがガ？】

虫好きの人なら、このような見分け方を聞いたことがあるかもしれません。

しかしこれも✖で、チョウにもハネを広げて休む種類がたくさんいます。そのためこの見分け方だと、ハネを広げて休んでいるチョウをガと間違えてしまうのです。

では、ここで答えをいいますね。

正解は、『触角の先が太くなるか、ならないか』です。

実は、触角の先が太くなっているのがチョウの特徴なのです（セセリチョウ科など一部例外あり）。

樹液(じゅえき)を吸(す)うチョウには、ルリタテハ、オオムラサキ、オオヒカゲ（写真右上(しゃしんみぎうえ)）などがいる。また、花(はな)の蜜(みつ)を吸(す)うガには、ホタルガ、ホウジャク、トラガ（写真(しゃしん)左上(ひだりうえ)）、ウスキツバメエダシャク（写真(しゃしん)左下(ひだりした)）がいる。ウスキツバメエダシャクが花(はな)の蜜(みつ)を吸(す)っている姿(すがた)は、一見(いっけん)するとモンシロチョウと間違(まちが)えそうだ。

ハネを広(ひろ)げて休(やす)むチョウの仲間(なかま)たち。色(いろ)も地味(じみ)で、まるで蛾(が)のようだ。

ミヤマセセリ（写真右上(しゃしんみぎうえ)）

ダイミョウセセリ（写真左上(しゃしんひだりうえ)）

キベリタテハ（写真左下(しゃしんひだりした)）

　一方、ガの触角は、触角自体が平たくたたまれていたり、ブラシ状の触角など、形こそいろいろありますが、先が太いタイプはいません（国内のみ）。

　このようにチョウとガは、触角で見分ける方法が一番わかりやすいのですが、これにも少しだけ問題があります。

　たとえば、チョウの場合、触角の先がそこまで太くならない種類もいるため、ガと勘違いしてしまう可能性があるのです。

　もし、みなさんがチョウとガをきちんと見分けられる昆虫博士になりたいのであれば、はじめのうちはチョウやガの標本が置いてある昆虫館に行って、標本をよく観察することをおススメします。標本のチョウやガの触角を見て、見分ける練習をするのです。

　また、チョウが飛んでいる温室のある昆虫館もあるので、そこに行ってチョウの触角を観察するのも良いと思います。

　私が勤めている「花ちょう遊館」でも、一年中、チョウが飛んでいる温室があります。

　こういう場所で観察しておけば、屋外でチョウやガに出会ったときにもしっかり見分けられるようになっているはずです。

一見するとガに見えるが、触角の先を見れば、チョウだとわかるキマダラセセリ

チョウの仲間のルリタテハ。触角の先が、膨らんでいるのがわかる

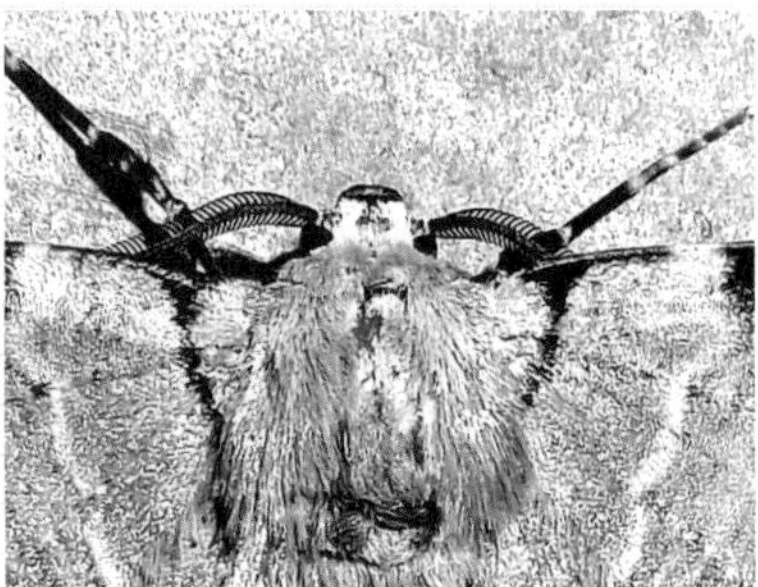

ガの仲間でブラシのような形の触角をしているオオアヤシャク

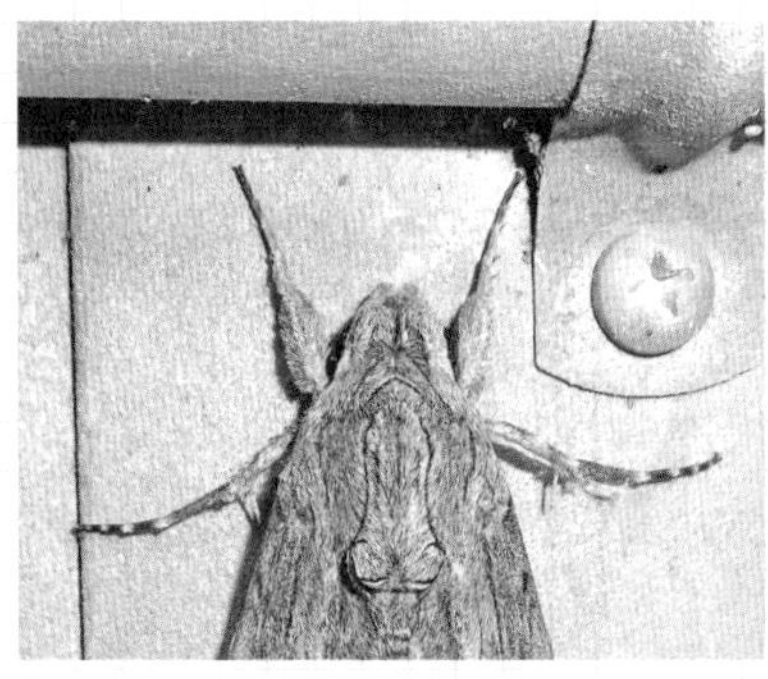

触角がたたまれているエビガラスズメ

触角の先が、あまり太くはならず、ガと間違えそうなオオゴマダラ

探してみよう！ いろいろなカマキリ

橿原市昆虫館
辻本 始

カマキリの仲間は、前あしがカマのような形をしているため、見ればすぐに分かります。みなさんの身近には、どんなカマキリがいるでしょうか？　探してみましょう！

一番見つけやすいのは、**オオカマキリ**かもしれません。全長7〜10㌢ととても大きく、よく草の上に乗っています。

背の高い草が生えている場所、特に森が近くにあるような草地を探すと見つけることができるでしょう。

次に見つけやすいのが**チョウセンカマキリ**です。図鑑によっては単に「カマキリ」という名前で紹介されていることもあります。

全長6・5〜9㌢と、オオカマキリよりほんの少しだけ小型ですが、見た目はほぼ同じ大きさです。そのため、背中側から見ただけではどちらの種類かすぐには分かりません。

見分け方は、カマ状になった前あしのつけ根で、あざやかなオレンジ色をしていればチョウセンカマキリ、うす黄色をしていたらオオカマキリになります。

オオカマキリ（前あしのつけ根がうす黄色）

チョウセンカマキリ（前あしのつけ根がオレンジ色）

すんでいる場所もオオカマキリとほぼ同じですが、チョウセンカマキリは、周りに森のない広い草原を好む傾向にあります。

次は、**ハラビロカマキリ**です。

全長4・5〜7センチとオオカマキリやチョウセンカマキリよりは小型ですが、体の幅が広く、名前の通り『腹が広いカマキリ』になります。

体の色は緑色が多いですが、たまに茶色のものもいます。茶色いハラビロカマキリは、ハネに黄色の細かい模様が刻まれており、とても美しいと人気があります。

森が好きなカマキリで、よく木にのぼっている姿を見ることができます。

最近は、ハラビロカマキリによく似ていて、少しサイズの大きい外来種の**ムネアカハラビロカマキリ**が、日本の各地で見つかっています。名前の通り腹側の胸が赤いため、ハラビロカマキリと見分けるのは簡単です。

コカマキリも比較的見つけやすいカマキリになります。全長3・5〜6センチと、ハラビロカマキリよりもさらに小さいカマキリで、ほとんどがこげ茶色をしています。たまに

緑色(みどりいろ)のハラビロカマキリ
茶色(ちゃいろ)のハラビロカマキリ
こげ茶色(ちゃいろ)と緑色(みどりいろ)のコカマキリ

緑色のコカマキリがいるのですが、とても少ないため、見つけられたらラッキーです。

草原や森などいろいろな場所にいますが、地面の近くにいることが多いカマキリです。

これらのカマキリを実際に探すときは、大きな川の河川敷につくられた遊歩道や、公園のそばの草原がおすすめです。

背の高い草だけでなく、低い草や木が生えていたりするなど、いろいろな種類のカマキリが好む条件がそろっているからです。しかも川のそばに作られた公園には、都会でも草原が残っていたりします。

そして、カマキリを探すことに慣れてきたら、**ヒメカマキリ**や**サツマヒメカマキリ**にも挑戦してみましょう！

最後に、上級編のカマキリを紹介して終わりにします。まずは、全長が2センチととても小さく、成虫になってもハネがないため赤ちゃんのように見えてしまう**ヒナカマキリ**。

次が、幻のカマキリと言われるほどなかなか見つからない**ウスバカマキリ**です。

地域限定だと、沖縄県には最大10・5センチにもなる日本最大のカマキリ「**マエモンカマキリ**（オキナワオオカマキリ）」。小笠原諸島には、見つけるのがとっても難しい「**ナンヨウカマキリ**」もいます。

ヒナカマキリ

ウスバカマキリ

ナンヨウカマキリ

自然界のお掃除屋さん オオセンチコガネ

長崎バイオパーク
中村 頌湧

私たち人間も含め動物は、ご飯を食べたらうんちをします。人間の暮らしの中では、うんちはトイレで流されたあと、しっかり処理してくれる人たちがいます。

では、野生に生きている動物たちのうんちは、一体だれが片付けているのでしょうか。

誰もうんちを片付けてくれなければ、山も森もそこら中がうんちだらけになってしまいます。しかし、実際の山や森は、足の踏み場もないほどうんちで埋め尽くされているわけではありません。実はちゃんと、野生の動物たちのうんちを片付けてくれる「お掃除屋さん」がいるのです。

自然界で動物のうんちを片付けてくれるお掃除屋さんにはたくさんの種類がいます。今回はその中から、**オオセンチコガネ**という昆虫を紹介させていただきます。

センチコガネ科に属するこの昆虫は、なんと動物のうんちや死骸を食べて生活している糞虫です。似た種類に**センチコガネ**と

オオセンチコガネ

最もよく見る赤色のオオセンチコガネ

いう昆虫もいます。

タヌキなどの糞をひっくり返すと、その下にトンネルを掘って集団でいるセンチコガネを観察できます。

センチコガネも十分キラキラしていて綺麗な昆虫ですが、オオセンチコガネの輝きはそれを上回る美しさです。

汚いというイメージが強いうんちに、こんなに美しくてきれいな昆虫が寄ってくるなんて、不思議ですよね。オオセンチコガネは、うんちから見つかる宝石なのです。

オオセンチコガネは、北海道から本州、四国、九州に幅広く生息していますが、生息している地域によって体の色が違います。最もよく見る赤色から、金、緑、青、紫とたくさんのバリエーションがあります。

オオセンチコガネは、5月から9月によく活動し、動物のうんちを見つけると、どこからともなく集まってきます。

交尾を終えたメスは、うんちの下にトンネルを掘り、そこに玉状にまるめたうんちを運び込んで卵を産み付けます。

卵からかえった幼虫は、親が用意してくれたうんちを食べて育ち、サナギになって成虫へと成長していくのです。

糞(ふん)の下(した)に集(あつ)まるセンチコガネ

春と秋に繁殖を行い、秋に生まれた成虫は、そのまま冬を越し、次の年の春にまた繁殖すると考えられています。

オオセンチコガネを探すコツは、とにかく動物のうんちを見つけることです。一生のほとんどを動物のうんちと共に過ごし、基本的に地面に潜っているため、なかなか探すのは大変ですが、うんちさえ見つけることができれば、出会える可能性はとても高くなります。

周りを山や森に囲まれた牧場などでは、牛や馬などのうんちに寄ってくるので見つけやすいです。新鮮なうんちを見つけたら、ひたすらひっくり返しましょう。キラリと光る宝石が目の前に現れるはずです。

動物のうんちをオオセンチコガネのような糞虫が食べ、分解して土に還すことで、土は豊かになり、微生物や植物などがぐんぐん成長し、その植物を食べた動物が、モリモリうんちをする……。

このように、生物と生物がお互いに関わり合いながら豊かな自然を作りあげています。

ただ美しいだけではない、オオセンチコガネという糞虫のフン張りが、生態系を支えているのです。

糞(ふん)を食(た)べるオオセンチコガネ

オオセンチコガネ

オオセンチコガネ採集(さいしゅう)の様子(ようす)

昆虫館でのいろいろな楽しみ方

箕面公園昆虫館
清水 聡司

昆虫館は、「昆虫」を展示の主役にした博物館です。日本では1907年（明治40年）に名和靖さんという方が、東京の浅草で開いたのが最初ではないかと、ぐんま昆虫の森名誉園長だった故矢島稔先生が、ご自身の著書の中で書かれています。

かつての昆虫館は、所狭しとばかりに並べられた昆虫標本が展示の主役でした。しかし、近年は「生体展示」、つまり生きた昆虫の展示に力を入れる昆虫館が多くなりました。しかも**ヘラクレスオオカブト**や**ハナカマキリ**など、図鑑でしか見ることのなかった外国産の生きた昆虫を見られるのも最近の傾向です。

ただ、標本が昆虫を研究する上で重要なものであることは、現在も変わりません。標本には、その地に生息していた確かな証拠を残すという役割があるのです。新種として発表する際には、標本は証拠として必要になりますし、たとえば、温暖化を測る

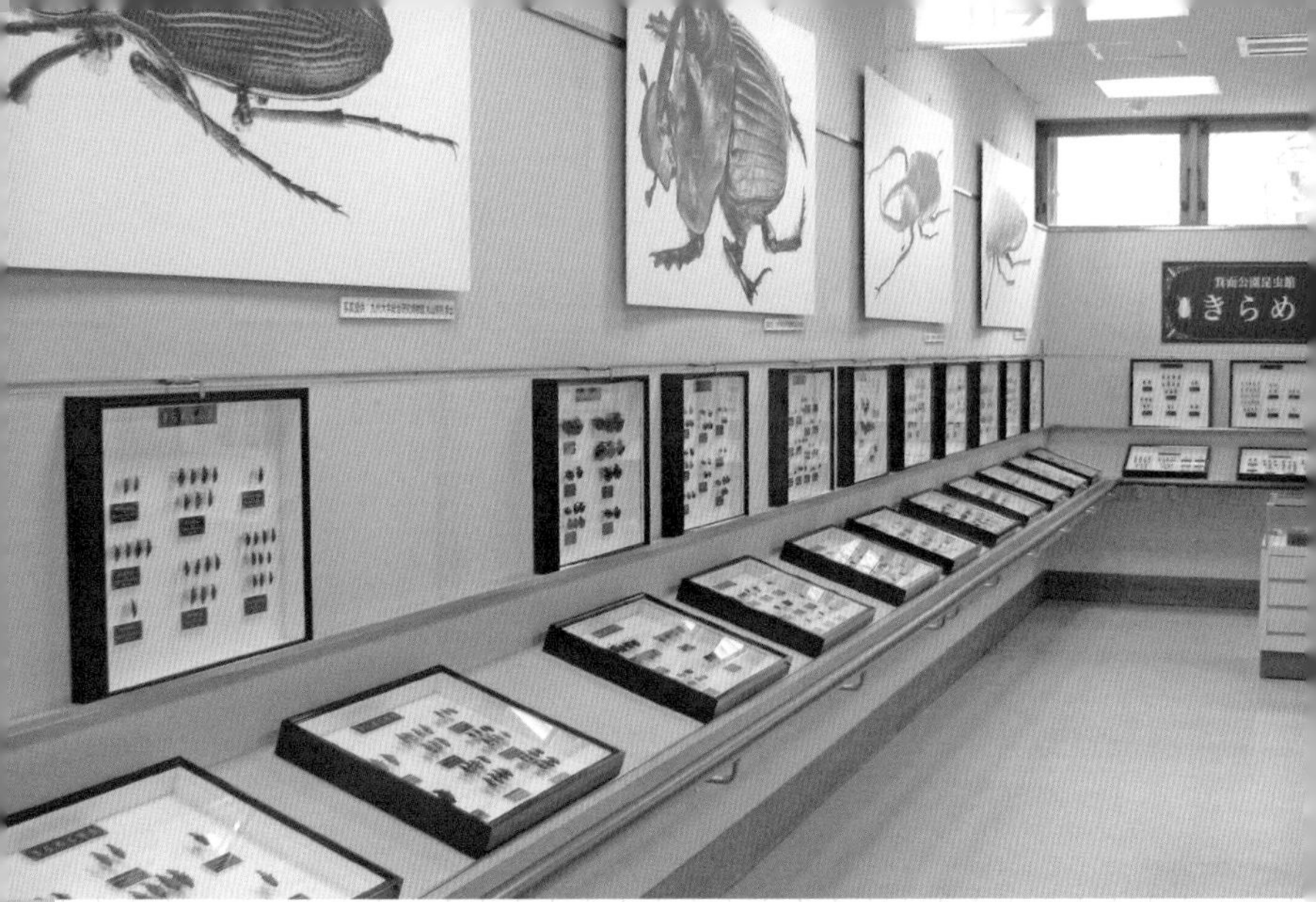

標本を用いた企画展（箕面公園昆虫館）

チョウの標本

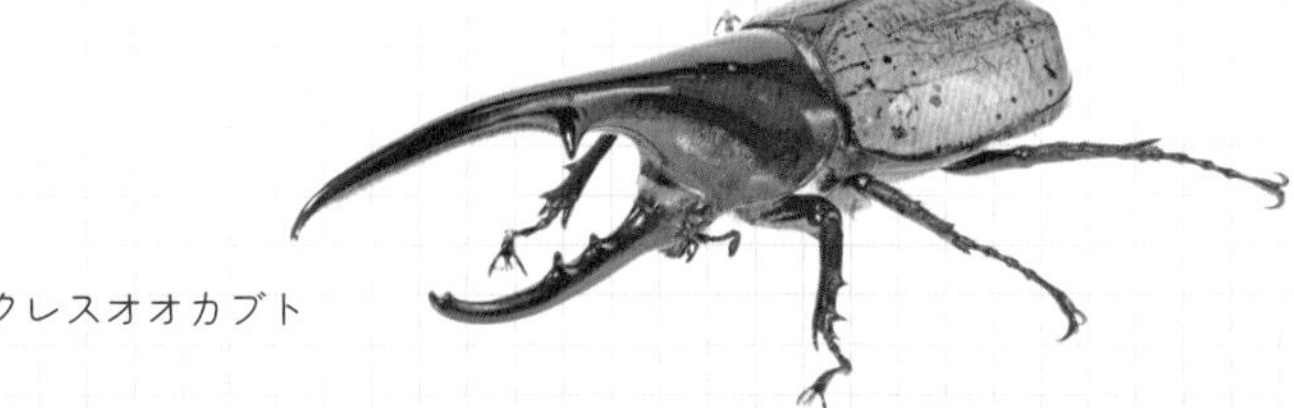

ヘラクレスオオカブト

目安として、過去と現在の生息地域の移り変わりを比較するような際にも役立ちます。

また、寿命の短い昆虫を標本という形にすることで、継続して展示をすることができるため、自然への理解を深めてもらうためにも必要不可欠なのです。

現在も、多くの昆虫館では、たくさんの昆虫標本を収蔵しています。箕面公園昆虫館でも7万点を超える標本を収蔵しており、それらを用いた特別展や企画展も好評です。

中には新潟の『胎内昆虫の家』のように、常に1万点もの標本が展示されている施設もあります。

また昆虫館の中には、たくさんのチョウが飛び交う亜熱帯温室を備えているところがあります。温室の大きさの大小はありますが、全国の10施設ほどで見ることができます。

東京の多摩動物公園昆虫園につくられたのが最初で、一年を通してたくさんのチョウが飛び交っています。

ウォーク・スルー型と呼ばれる展示方式の温室は、飛び交うチョウの中を人が歩いて楽しむことができます。

チョウのサファリパークともいえる温室は、猛獣の展示や水中を泳ぐ魚の展示では

オオゴマダラ

蜜皿に集まるオオゴマダラなどのチョウ（箕面公園昆虫館）

温室（箕面公園昆虫館）

不可能な、同じ空間で昆虫を観察できることが最大の魅力であり、みなさんにも一度は体験してほしい展示です。

さらに、亜熱帯をイメージした温室に飛んでいるチョウは、普段みなさんの身の回りにいるチョウとは違い、日本でも南の暖かい地域である沖縄にいる種が中心です。

たとえば、沖縄を代表する**オオゴマダラ**（32ページ）は、大人の手のひらほどもある大きなチョウです。この巨大なチョウが手の届くところをゆったりと優雅に飛ぶ姿は圧巻で、時間が経つのを忘れてしまいます。

箕面公園昆虫館の温室でも、オオゴマダラはもちろん、**ツマムラサキマダラ**や**シロオビアゲハ**など、およそ15種５００頭ほどのチョウが季節に関係なく飛び交っています。

また最近の昆虫館の傾向として、参加しながら楽しく学べる体験型のイベントが増えたことが挙げられます。

昆虫を観察しながらフィールドを散策する『昆虫観察会』や昔から続く定番の『昆虫標本づくり』などのイベントはもちろん、顕微鏡を使った観察、工作、バックヤードツアーなど、各施設で趣向を凝らしたイベントが数多く実施されています。

生態展示の様子（ゴキブリ展）

顕微鏡でチョウの鱗粉観察ができる体験型イベント

　また、昆虫に触れたり一緒に写真を撮ったりできるふれあい体験なども人気です。箕面公園昆虫館でも体験型のイベントは人気が高く、募集をするとすぐに定員に達してしまうほどです。他にも、毎週日曜日の決まった時間にだけ、チョウの飼育室に入って見学ができるなど、楽しい企画をたくさんご用意しています。

　さらに静岡県磐田市の竜洋自然観察公園や群馬県のぐんま昆虫の森のように、昆虫観察のガイドツアーを園内で毎日実施している園館もあります。

　出かける前にホームページなどをチェックしておくと、より昆虫館を満喫できると思います。

　昆虫は、私たちにとって最も身近な友人です。昆虫を通じて身の回りの自然はもちろんのこと、いろいろなことに興味を持つきっかけになればと思っています。

　そのため、一口に昆虫館と言っても、それぞれに個性があります。

　標本の収集や展示の得意な施設、生体展示の充実している施設、自然観察をはじめとする体験型のイベントに力を入れてい

箕面公園昆虫館

る施設などさまざまです。

北海道にある丸瀬布昆虫生体館は、国内最北の放蝶温室を持つ昆虫館です。北海道で沖縄のチョウを見るという体験ができるのはなんとも不思議な気分です。

沖縄県の与那国島にあるアヤミハビル館は、最も南にある昆虫館で、日本最大の蛾、**ヨナグニサン**が主役の施設です。タイミングが良ければ、その巨大な姿を見られるかもしれません(66ページ参照)。ところ変われば昆虫館も異なります。

昆虫が好きな人も少し苦手な人も、とにかく一度「昆虫館」を訪ねてみてください。

個性あふれる面々が、みなさんを驚きの世界へとご案内いたします。

ゴキブリを撮影するコツ

磐田市竜洋昆虫自然観察公園
柳澤 静磨

昆虫館では、昆虫の写真をさまざまな場面で使用します。各種の解説パネルに使用したり、イベントの説明を行うときに使用したり、時には他の昆虫館やTV、新聞などのメディアに貸し出すこともあります。

そのため、昆虫の写真は昆虫館にとって欠かせないものになります。

私が勤める磐田市竜洋昆虫自然観察公園では、各種の解説パネルに、白い背景（当園ではポスターを裏返しにして使用していま す）で撮影した、いわゆる「白バック写真」を使っています。

鮮明な虫の姿を写した写真は、展示ケースの中にどんな虫がいるのかを、わかりやすく示すことができ、一目で興味を持ってもらうことにも役立ちます。

これらの写真は、主にそれぞれの展示担当者が撮影していますので、今回はそのときのコツをお教えしたいと思います。

私が専門にしているのは**ゴキブリ**です。

オレンジスポットドミノゴキブリ

ヨツボシゴキブリ

ミドリバナナゴキブリ

嫌いな方も多い昆虫ですが、魅力にあふれた昆虫でもあります。

ここでその魅力について掘り下げてしまうと長くなってしまうので飛ばしますが、とにかく私はゴキブリが好きで、彼らの面白さを知ってもらおうと「ゴキブリ展」を毎年開催しています。

皆さんもご存じの通り、ゴキブリは非常に素早い生きものです。そのため、撮影するのはとても大変。とくに白バック写真は難易度が高く、白背景の上で動きが止まったと思ってカメラのファインダーを覗いたら、もうそこにはいないということも日常茶飯事です（写真①）。

また、ゴキブリは体が柔らかく、指でつまむだけで触角や肢が簡単に取れてしまいます（写真②）。

当園の場合、白バック写真は展示で最初に目に入るものです。解説に、触角が切れた個体や肢のない個体を載せれば、「触角が短めの虫なんだ」「肢が5本しかない虫もいるんだ」という誤解に繋がりかねません。

動きが早く、体がもろい。このような条件から、ゴキブリは白バック写真を撮影するのが難しい虫といえるでしょう。

そんなゴキブリをどうやって撮影しているのかというと、いくつかコツがあります。

まず、撮影をする際は触角や肢、翅などが

① 駆け抜けるゴキブリ

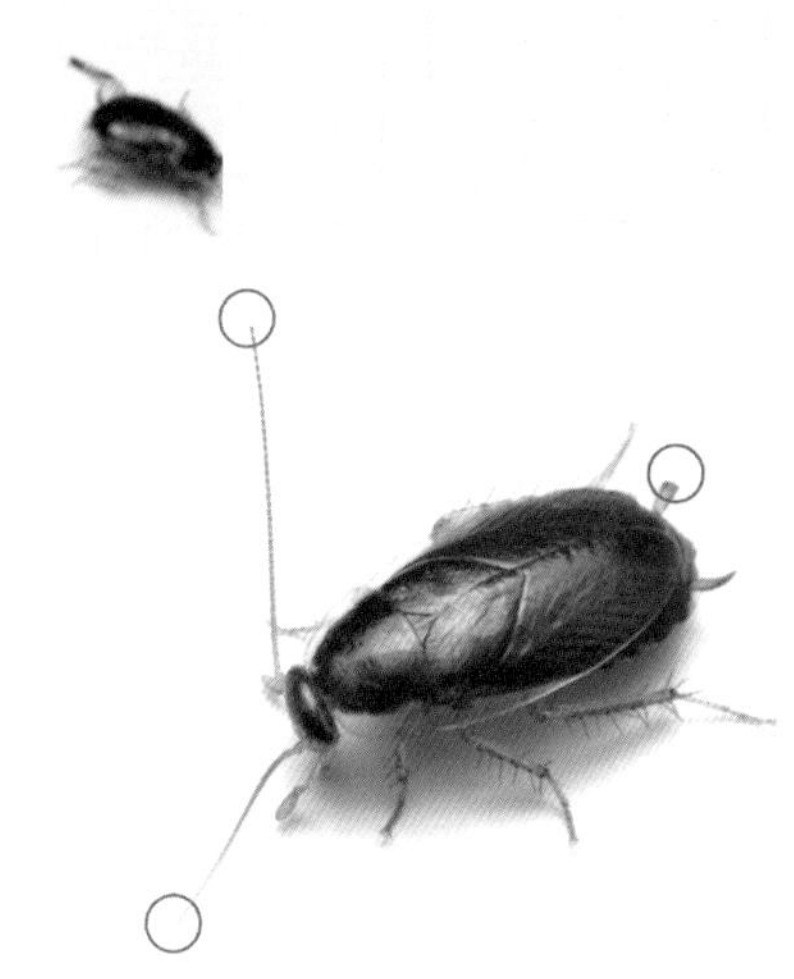

② 赤丸で囲ったところが欠損しており、反対の中肢も見えません

綺麗な個体を選びます。

ゴキブリはたくさんの個体をまとめて飼育していることが多いのですが、その中から終齢幼虫、つまり、あと1回の脱皮(羽化)で成虫になる幼虫を1～2匹選び、個別で飼育します。こうすることで、羽化した後に他の個体との小競り合いによる触角や肢の欠損を防ぎます。

綺麗な個体が羽化したら、いざ撮影です。撮影は平らな場所で行います。

手で触ると触角や肢が取れてしまうので、透明のカップに入れたままゴキブリを白い背景の上まで移動させ、そのままカップを被せて動きが止まるのを待ちます。

このとき不意に走り出すことがあり、カップを被せて脱走を防ぎますが、凹凸のある場所だとカップと背景の間に隙間ができて逃げられてしまいます。床や広い机の上で行うといいでしょう（写真③）。

あとは、かっこいい立ち姿で止まってくれるのを、ひたすら待つだけです。こればかりはゴキブリの気分に左右されます。

一匹の撮影に、最長で二日間かかったこともあります。とにかく根気強く待ちます。

止まってくれたら、刺激を与えないようにカップをゆっくりと外して、ゴキブリの複眼にピントを合わせて撮影します。

私はゴキブリを撮影する時、図④のような点を意識して撮影しています。この４つが揃うと、ゴキブリが格好良く撮影できます。ぜひ参考にしていただければ幸いです。

ゴキブリだけでなく、昆虫の白バック写真を撮影する際は「こうやって撮影したほうがいきいきとしてみえる」「このアングルじゃないと、この虫らしさが出ない」など、さまざまな工夫があります。

今度昆虫館に行く際は、本物はもちろんのこと、写真にも注目してみてください。

③ 床での撮影風景

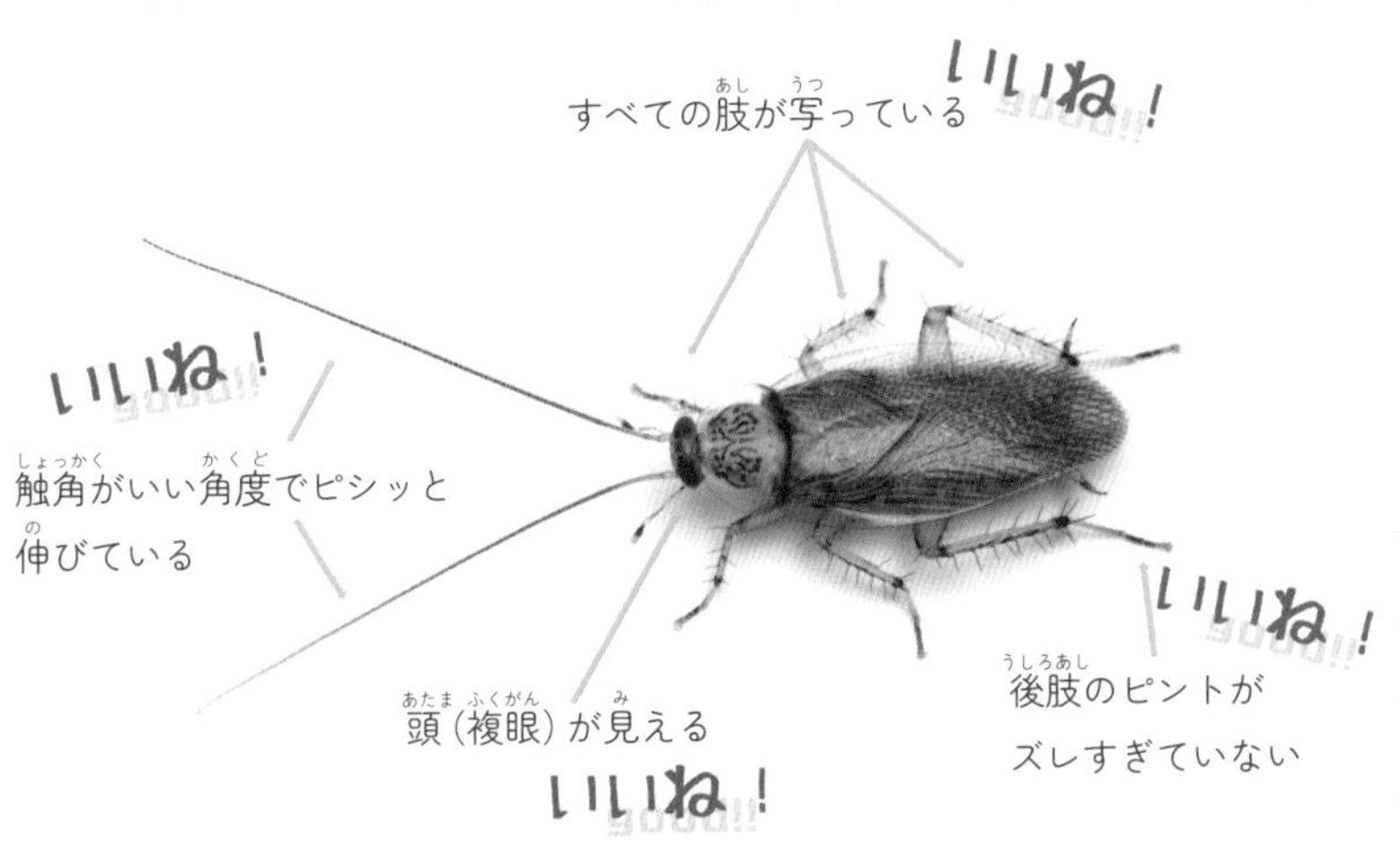

すべての肢が写っている
いいね!
いいね!
触角がいい角度でピシッと伸びている
いいね!
後肢のピントがズレすぎていない
頭(複眼)が見える
いいね!

④ ゴキブリ撮影 4つの good point

展示を見てもらうための工夫

足立区生物園
今井 陸斗

私は足立区生物園の昆虫飼育担当で、カブトムシやカマキリ、ムカデ、ゲンゴロウやホタルなど、チョウ以外のさまざまな虫たちのお世話をしています。

実はもう一つ、大切な仕事があります。それは企画展を作ることです。

企画展とは、いつでも見られる展示（常設展）と違って、期間限定の展示のことです。

私が担当する「むしむしコーナー」は、生物園の2階にあり、2〜3ヶ月に一度、展示を入れ替えています。

季節に合わせて内容を変える企画展は、テーマも見どころも毎回違います。より多くの人に展示を見ていただき、より昆虫に興味を持ってもらうためにも、毎回工夫を凝らした展示を企画しています。

今回は、私が展示を作るときに特に工夫しているポイントを2つ紹介したいと思います。

■工夫その1　虫が見やすいように

企画展で目玉となるのは、もちろん生き

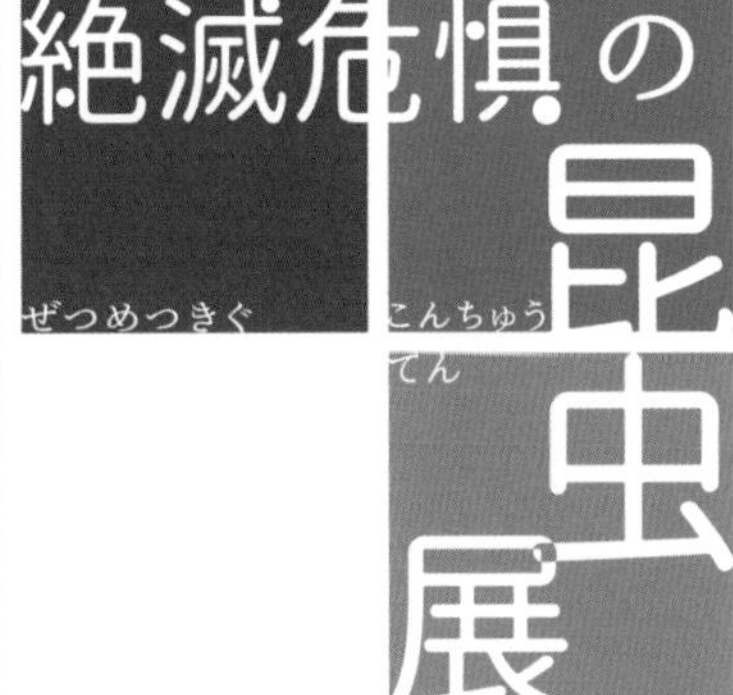

現在、昆虫をはじめとした多くの生きものが絶滅の危機に瀕しています。
展示を通して昆虫たちが置かれている状況や取り組みについて知り、考えていただけることを願います。

参考文献　環境省 https://www.env.go.jp/
東京都の保護上重要な野生生物種（本土部）2020年版
https://www.kankyo.metro.tokyo.lg.jp/nature/animals_plants/red_data_book/redlist2020.html　ほか

今までに担当した企画展

た虫の展示です。かっこよく「生体展示」という言い方をすることもあります。

【健康な虫を展示する】

元気のない虫を展示するわけにはいきません。常設展では出番がない虫たちも、常に元気でいられるように、しっかりお世話をし、いつ展示されてもいいようにしています。

【居心地のいい水槽を作る】

展示する時は、きれいにレイアウトした水槽を用意します。

水槽の中に必要なものは、種類によって違います。展示したい虫の好む環境や食べものを調べ、それに合わせた素材を使って見栄えのいい水槽を組み上げます。

食べかすやフンで汚れてきたら、その都度キレイに掃除をします。

【隠れても見えるようにする】

私が扱う虫は、普段は物陰に隠れている種が多いため、展示していても水槽の中の隙間にうまく隠れて見つけられないこともしばしば……。

隠れられる場所のない水槽なら、姿は見

セスジシミの展示水槽

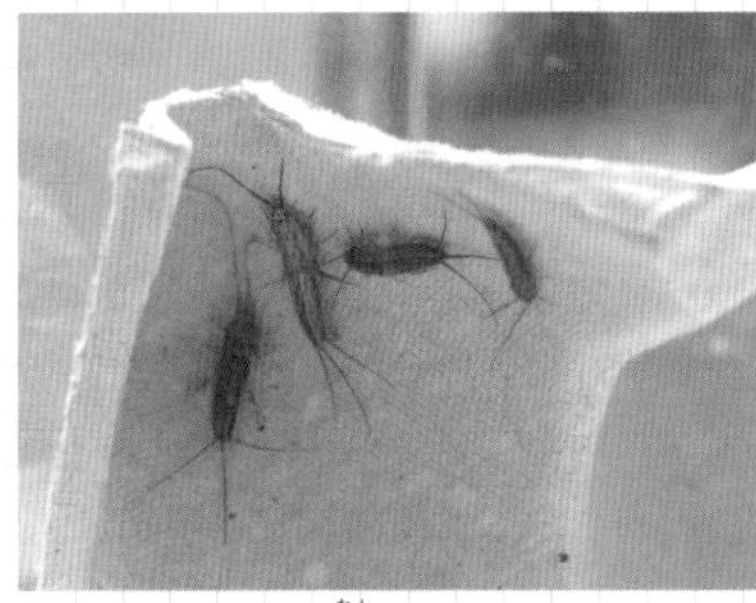

ケースの中のセスジシミ

工夫その①：家の中にあらわれては、古い本などを食べてしまうセスジシミの生態がわかるように、畳や本を用意して家の中のようなレイアウトにした。

工夫その②：隙間に隠れてしまうので、小さなケースに入れて見やすくした。

むしむしコーナー

やすいですが、虫たちにとってはストレスになってしまいます。

そこで、物陰に隠れてしまう虫には、水槽の手前側に隠れ場所を用意してあげます。すると姿が見やすく、かつ虫に与えるストレスが少なくなります。

虫も人も幸せになる、いいポイントをさぐっていきたいところです。

■工夫その2　興味を持ってもらえるように

企画展は、虫の水槽を並べてそれで完成、ではありません。

展示にはテーマがあり、そのテーマが伝わるように解説パネルやキャプションを用意します。

生きものを通して知ってほしいことや、知っておくとより深く楽しめる内容を解説パネルにまとめています。

【注目を集めるデザインにする】

解説パネルと言っても、文字ばかりでは読むのが大変です。イラストや写真をたくさん使い、わかりやすく、楽しみながら見てもらえるように工夫しています。

写真もイラストも自分で用意することが多いです。

企画展『カブトムシ／クワガタムシ』で使用したパネル

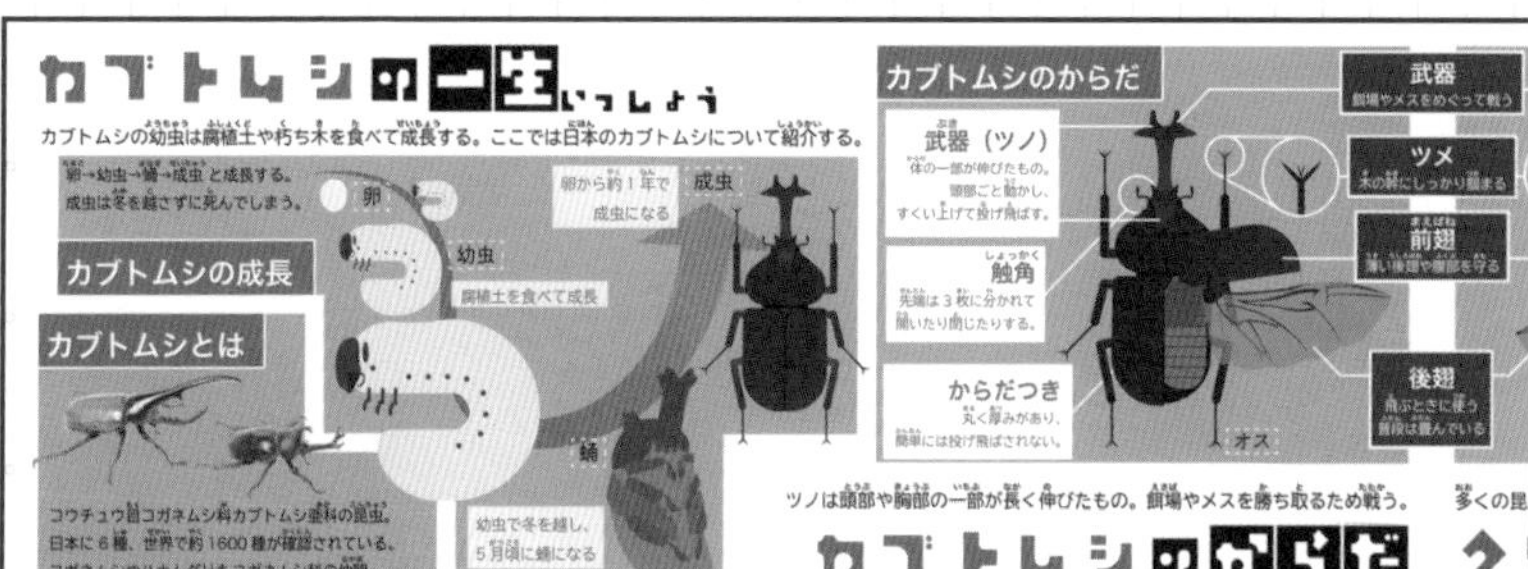

カブトムシとクワガタムシの育ち方と体のつくりに注目した。

展示のイメージに合わせたデザインを考えるのは大変ですが、試行錯誤を繰り返して思い通りに仕上がると、とても達成感があります。

【観察ポイントをわかりやすく】

展示されている虫がどのような虫なのか、どんなところに注目してほしいのかをまとめて、キャプションとして水槽に貼りつけます。

それぞれの種についての細かな情報は、大きなパネルよりも小さなキャプションを個々の水槽につけた方が見やすいのです。

生物園では、どんな展示でも「その場所でその生きものを展示している理由」があります。生きものたちに、テーマや伝えたいことを代表してもらっているのです。

どの昆虫館でも、来館したみなさんに楽しんでもらえるよう、興味を持ってもらえるように工夫をこらした展示を企画しています。

展示を通して、生きものたちのさらなる魅力や、その裏に隠れた昆虫館スタッフの工夫や思いを感じ取ってもらえたら嬉しいです。

企画展『カブトムシ／クワガタムシ』で、水槽に貼り付けたキャプション

ヘラクレスオオカブト

Dynastes hercules hercules

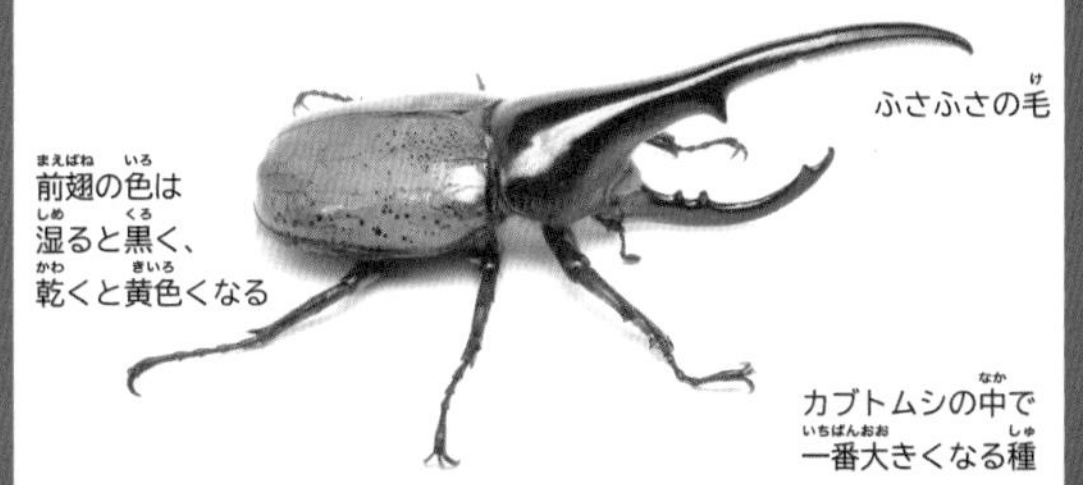

ヘラクレスオオカブトの仲間　*Dynastes*

アメリカ大陸に８種が分布。

コーカサスオオカブト

Chalcosoma chiron chiron

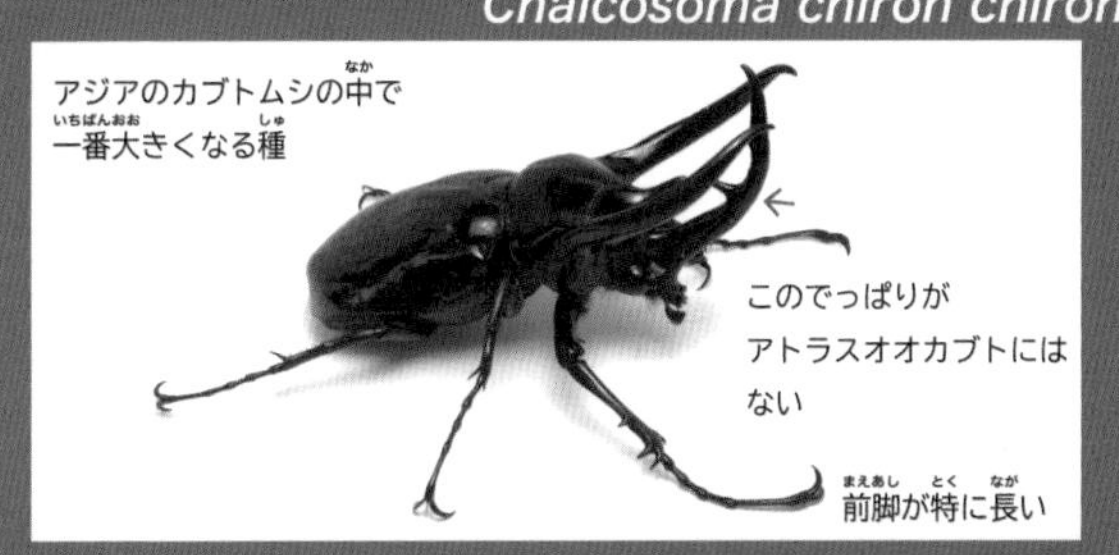

アトラスオオカブトの仲間　*Chalcosoma*

熱帯アジアに４種が分布。

ニジイロクワガタ

Phalacrognathus muelleri

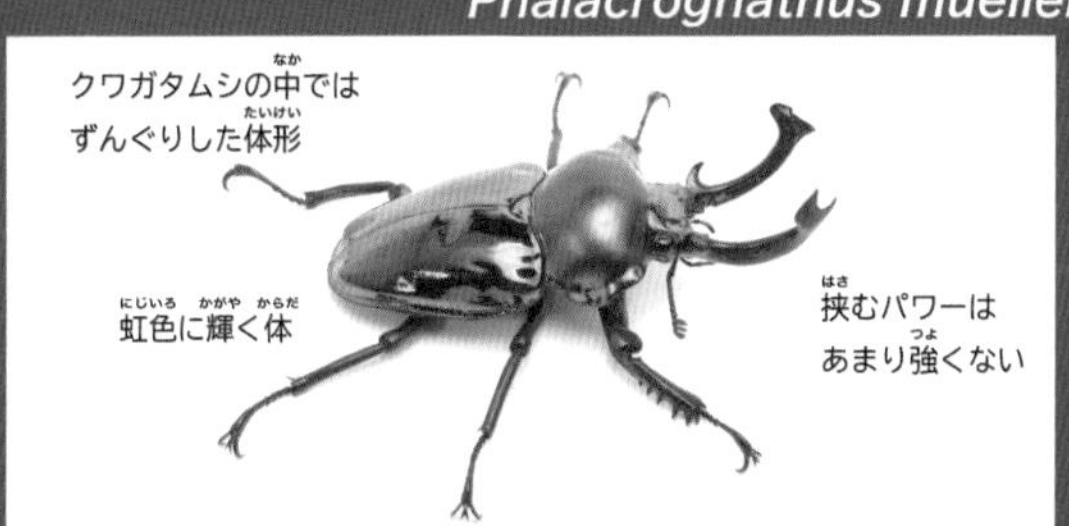

ニジイロクワガタの仲間　*Phalacrognathus*

オセアニアに分布。ニジイロクワガタの仲間は１種のみ。

種ごとに違った特徴をもつことがわかる

ダンゴムシみたいに体が丸まるゴキブリ

東京都多摩動物公園 昆虫園
角田 淳平

ヒメマルゴキブリを知っていますか？

ヒメマルゴキブリは、森で暮らしている1㌢ほどのゴキブリです。日本では宮崎県、鹿児島県、沖縄県にすんでいます。

ヒメマルゴキブリの幼虫とメスの成虫には翅がなく、体をボールのように丸めることができます。その姿はまるで**ダンゴムシ**のようです。

オスの成虫は丸くなることができませんが、立派な翅があり、上手に飛ぶことができます。

ヒメマルゴキブリとダンゴムシはよく似ていますが、もちろん違いはいくつもあります。

その一つが脚の数です。

ダンゴムシには脚が14本もありますが、ヒメマルゴキブリは昆虫なので脚が6本しかありません。腹側からみると分かりやすいと思います。

見た目がダンゴムシに似ているヒメマルゴキブリ

丸まっている様子

前から見た様子

腹側から見ると脚が６本

実をいうと、ダンゴムシには『ムシ』という名前がついていますが、昆虫ではありません。エビやカニなどと同じ甲殻類の仲間です。

ゴキブリは、脱皮をして成長します。

ゴキブリの仲間は、脱皮直後は白い体をしていることが多く、ヒメマルゴキブリも脱皮してすぐは白い体をしています。

ただ、しばらくすると少しずつ黒くなっていきます。

多摩動物公園では、昆虫生態園にある「沖縄のいきもの」というコーナーでヒメマルゴキブリを展示しています。

ぜひ、ダンゴムシのようでダンゴムシじゃない、かわいらしいヒメマルゴキブリの姿を見に来てください。

脱皮直後のオス（左）と少し色づいたオス（右）

脱皮している様子

脱皮直後のオス

09 昆虫のイラストを描いてみよう！

足立区生物園
中村 玲子

■昆虫のイラストを描く前に

はじめに、昆虫の基本的な体のつくりを知っておきましょう。

基本的な部分は、どの昆虫も同じつくりをしています。体は、頭、胸、腹に分かれ、胸から脚や翅が生えています。

脚は3対6本あり、翅は種類によってあったり無かったりします。

■描きたい昆虫の特徴・魅力を見つけよう

昆虫と言ってもいろいろな種類がいて、それぞれに特徴や魅力があります。

まずは「これがこの昆虫の特徴！」という部分を見つけてあげましょう。ゾウなら鼻が長い、キリンだと首が長いなど、特徴が分かっていると描きやすいのです。

たとえば左の写真は、私が**ツシマウラボシシジミ**と**サツマゴキブリ**を観察して、感じたことを書き出したものです。

見た目の特徴以外でも、自分が「かっこいい！」「かわいい！」と感じたポイントも一緒に見つけてあげるとグッドです！

昆虫の基本的な体のつくり

体は頭、胸、腹に別れている。

頭 複眼や口、触角がある

胸 脚や翅がある

腹 目立つ脚などはない

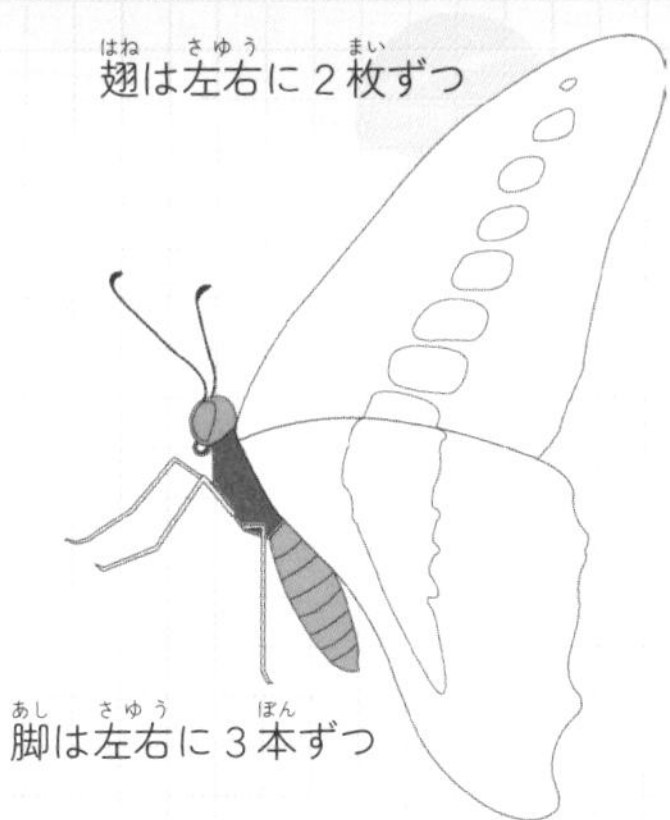

ツシマウラボシシジミ

サツマゴキブリ

■楽しみながら描いてみよう

絵の上手い下手は関係ありません。また、見たもの全てを正しく描こうとしなくても大丈夫です。

簡単な形を組み合わせて描いても良いですし、逆に細かく忠実に再現して描いても良いです。

左に、私が描いたツシマウラボシシジミとサツマゴキブリのイラストを載せておきますね。なかなか可愛くないですか？（笑）

描き方に決まりなどありません。自分にとって、いかに楽しく描けたかがとても大切なのです。

■昆虫館においでよ

昆虫館は、身近な昆虫以外にも、普段見ることが難しい昆虫も見ることができる場所です。

さらに、「探してもお目当ての昆虫が見つからない」とか「見つけてもすぐに逃げちゃう！」ということも、展示されている昆虫なら関係ないので、じっくり観察するにはもってこいの場所なのです。

しかも、昆虫って行動やしぐさもなかなか可愛いんですよ！

図鑑や写真だけでは見えない昆虫の新たな魅力をぜひ探しに来てください。

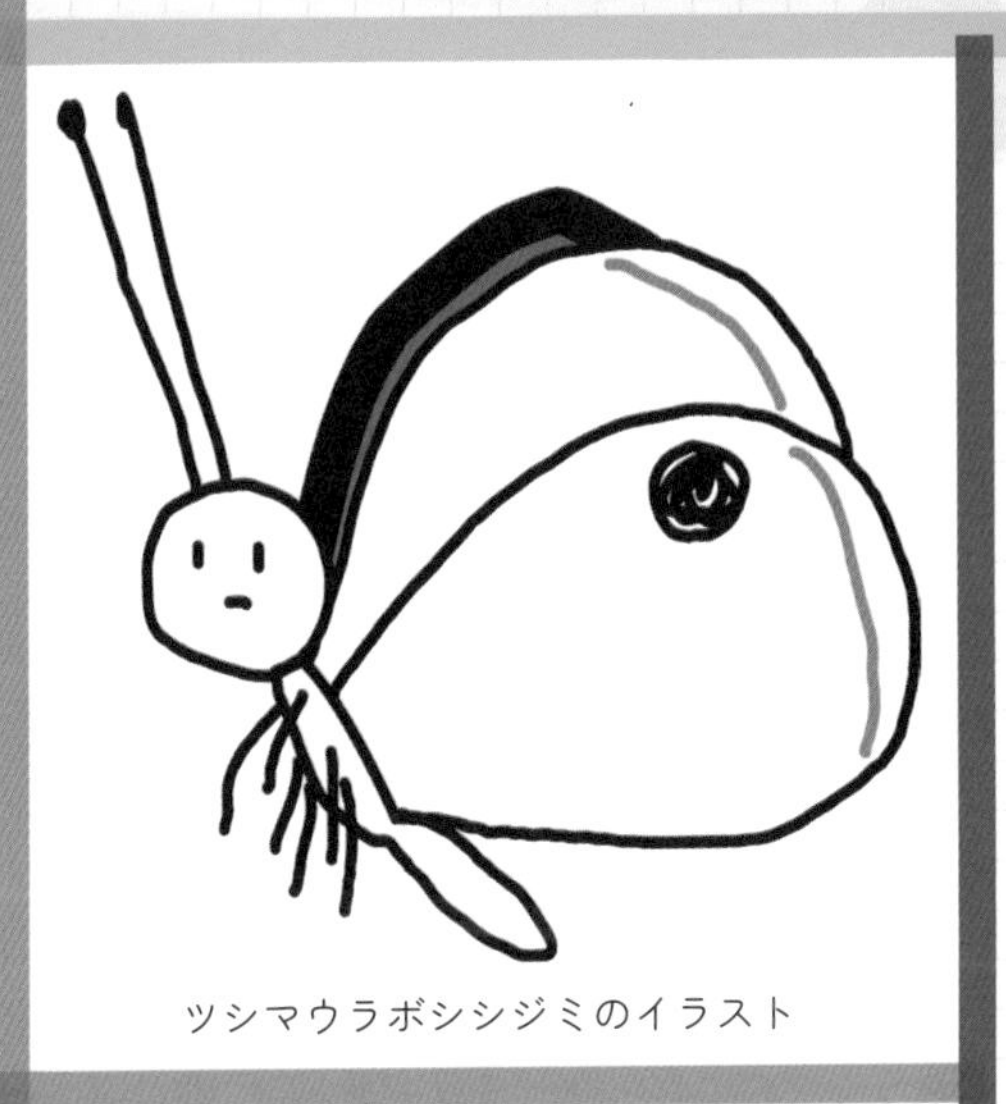

ツシマウラボシシジミのイラスト

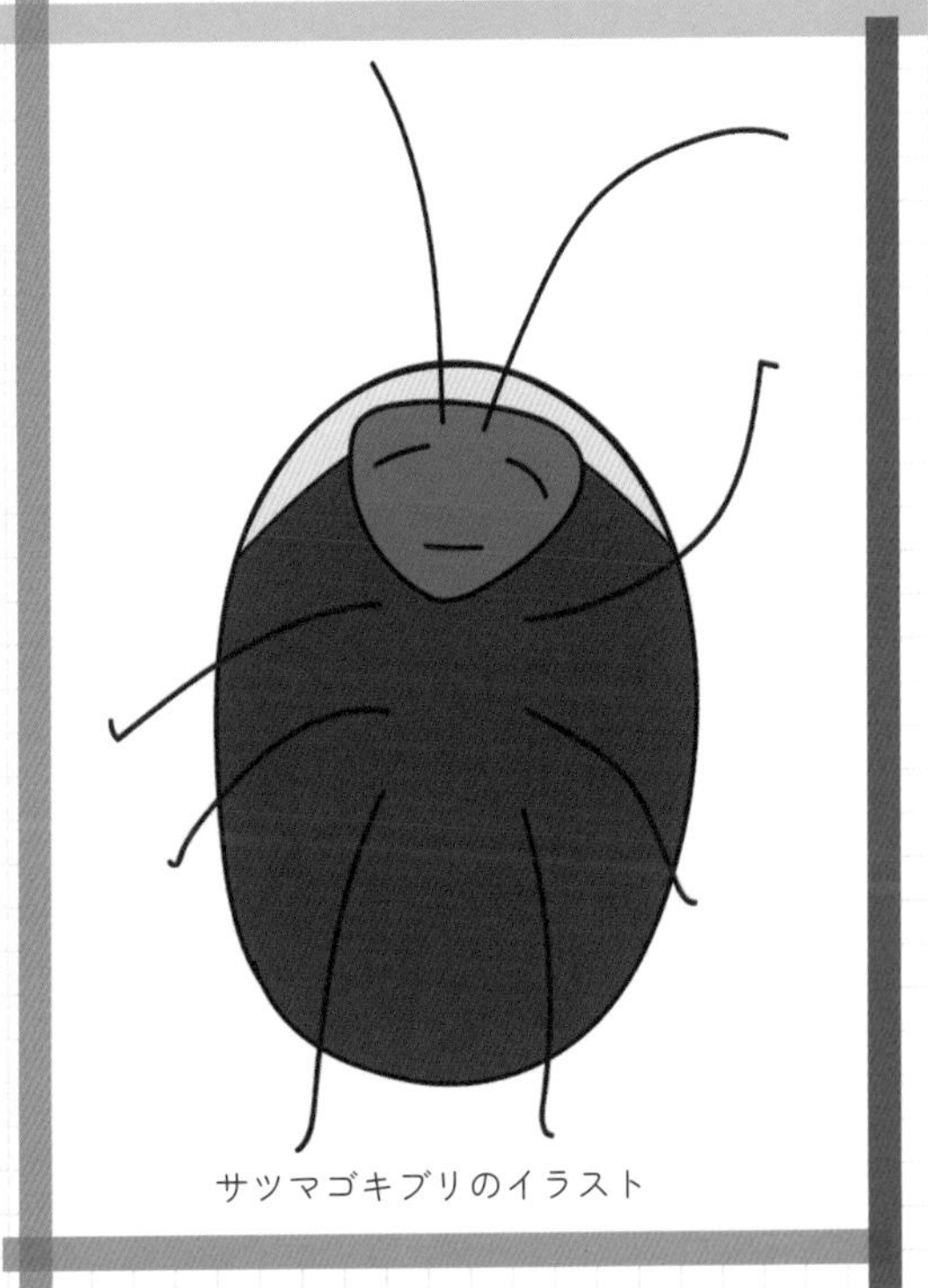

サツマゴキブリのイラスト

ゴキブリ飼育のススメ

東京都多摩動物公園　昆虫園
関本　風太

家の中や飲食店でいきなり現れるゴキブリを、飼育してみたくありませんか？

今回は、少しでもゴキブリの飼育に興味を持ってくれた人のために、昆虫園で飼育している方法をお教えします。

まずは、ゴキブリの脱走を防ぐ方法からはじめます。

ゴキブリの多くは、壁を登るのが得意です。当然、飼育ケースの壁も登ってしまうため、そのままだと逃げられてしまいます。

それを防ぐために、昆虫園では炭酸カルシウムを使います。これは、ホームセンターや爬虫類を扱うショップなどに売っています。

炭酸カルシウムをアルコールや水で溶かし、飼育ケースの上部分に塗るのです。

塗った面が乾くと、ゴキブリが上に登ろうとしても、そこで足が滑ってしまい登れなくなります。

これで、逃げられないゴキブリの飼育ケースが出来上がりました。

家（いえ）によくあらわれるクロゴキブリ

乾（かわ）いた炭酸（たんさん）カルシウム

オガサワラゴキブリ

日本最大（にほんさいだい）のゴキブリ、ヤエヤママダラゴキブリ

次にエサを用意しましょう。

昆虫園では、エサとしてマウスペレットを与えています。

マウスペレットは、実験用のネズミに与えるエサで、ペットショップだとハムスター用ペレットが売られています。

手に入らなければ、ゴキブリは基本何でも食べるので、ドッグフードや果物、野菜などを与えてみましょう。

ゴキブリにとって水は重要で、できるだけ、絶やさないように注意してください。

プリンカップの蓋に十字の切り込みを入れ、そこにガーゼや脱脂綿を差し込んで水飲み場として使用します。

ここまで出来たら、飼育ケース内に隠れ家的な段ボールを配置するなど、自由にレイアウトすれば完成です。

私自身、ゴキブリを飼育したことがきっかけで、ゴキブリへの印象がガラッと変わり、今では愛らしく感じるほどです。

みなさんもぜひ一度、ゴキブリを飼育してみてはいかがでしょうか。

そして、昆虫であるゴキブリのことを少しでも理解していただけたら嬉しいです。

エサのマウスペレット

プリンカップで作った水飲み場

段ボールで作った隠れ家

オガサワラゴキブリの成虫（左）と脱皮したての幼虫（右）

最大級の蛾 ヨナグニサン

アヤミハビル館
杉本 美華

沖縄県の与那国島は、日本で一番西の端にあります。

南の島なので、昆虫館の温室にいるチョウや植物を普通に外で見ることができ、珍しい生きものもたくさんいます。

その中には「ヨナグニサン」という最大級に大きな蛾もいます。前翅長（127ページ参照）は10～13センチもあり、翅を広げると大人が手のひらを広げたくらいの大きさになります。

与那国島の方言では、ヨナグニサンのことを「アヤミハビル」と呼びます。「アヤミ」は「美しい模様のある」、「ハビル」は「チョウや蛾の仲間」という意味があるので、「アヤミハビル」は「美しい模様の蛾」になります。

実は蛾やチョウの翅は、透明な膜で、その上に様々な色の鱗粉（毛が平たく変化したもの）が並んで模様を作っています。

ヨナグニサンの翅の表は主にレンガ色で、たくさんの色と美しい模様があります。

オスの表側（透明な部分が三角の形をしている）

特に前翅の先にある薄いオレンジ色やピンク色の部分には、赤い線や黒い模様があるため、ヘビの横顔のように見えます。

翅の裏は表より暗い色をしていますが、白やピンクなどの鱗粉できれいな色合いになっています。裏側も、前翅の先はヘビの横顔のような模様となっているので、どちらから見ても「ヘビだ！」と見間違えるかもしれません。

翅の中央に、オスは三角形、メスは台形（しずく型）の模様があります。この部分に鱗粉はなく、透明な膜のままになっているので、景色の色が透けて見えます。

翅の表と裏の綺麗な模様が、多くの人達から愛される魅力のひとつになっています。

ヨナグニサンは、とても大きく、とてもきれいな模様をもつ虫のため、標本にした額が家に飾る用のお土産物として、昔は沖縄本島や石垣島で大人気でした。

そのため、大量に与那国島で採集され、絶滅しそうなほど減った時代もあったのです。

しかし、「絶滅させてはいけない!」という島の人々の想いから、沖縄県の天然記念物に指定され、採集や売り買いすることを禁止にしたのです。

さらに、幼虫の餌となる木を植え、飼育した幼虫や成虫をたくさん放す保護増殖活動を、島全体で繰り返し行いました。

それから数十年経った今、ヨナグニサンを絶滅の危機から救うことができたのです。

こうして絶滅から免れたヨナグニサンは、与那国島では春先(3月下旬〜4月上旬)から夏・秋と年に3回、成虫になった姿を見る機会があります。成虫が見れなくても、卵や幼虫か蛹(マユ)を見つけることができるかもしれません。卵は小さく、卵から生まれた1齢幼虫も5ミリほどの大きさしかなく可愛らしいです。幼虫はたくさん餌の葉を食べて5回の脱皮を繰り返し、6齢幼虫に成長すると、マユを作り蛹になります。マユを作り始める直前の6齢幼虫は、成虫同様に最大級の大きさですから、見つけた時の感動は素晴らしいものがあると思います。

メスの裏側（透明な部分が台形の形をしている）

6齢幼虫に脱皮してすぐの幼虫（左側）と、たくさんエサを食べてマユ作りを始める直前の6齢幼虫（右側）。右側の幼虫は、大人の親指よりも太くなる。

チョウの行動を観察してみよう！

東京都多摩動物公園　昆虫園
片田　菜美

多摩動物公園にある昆虫生態園には、ガラスでできた大温室があります。ここでは、花が1年じゅう咲き**チョウ**が飛んでいるため、野外ではなかなか見ることのできないチョウの行動を、間近でじっくり観察することができます。

おすすめの時間は晴れた日の午前中。おすすめの季節は秋から春にかけてです。

今回は、大温室で見ることができるチョウの行動を紹介しますので、ぜひ皆さんも足を運んで観察してみてください。

温室を入ってすぐの場所に、鉢植えにしたチョウの食草が置いてあります。ここで、産卵の様子が見られるかもしれません。特に、**オオゴマダラ**の卵は大きくて観察しやすいのでおすすめです。チョウの卵の色や形、産み付ける場所など、実際に自分の目で確かめてみてください。

通路の脇には、薄めたハチミツスープの入った皿があり、ストローのような口を伸ばしてチョウが蜜を吸っています。

オオゴマダラの産卵

蜜皿の蜜を吸うタテハモドキ

花の蜜を吸うシロオビアゲハ

もちろん大温室内で咲いている花の蜜も吸っていますので、そっと近づけば、口をスーッと伸ばす様子も観察できます。

チョウは、花だけでなく葉などにも止まります。止まっているメスのチョウの周りを、オスのチョウがパタパタと飛び回っていたら、これはチョウの求愛行動。そして、おしりを上げて翅を広げているメスがいたら、それは交尾拒否のポーズになります。

濡れた地面では、チョウが集まって水を飲む様子も見られます。この行動は、特に黄色い小さな**タイワンキチョウ**によく見られます。

タイワンキチョウは、冬に多く展示している種です。

寒い冬の晴れた日には、日向の花や葉、地面の上などでチョウが翅を広げてのんびりしています。これはチョウの日向ぼっこで、種類によって居る場所が違うことがあります。

またチョウは、雨やくもりなどの薄暗い日や夕方などに、木の葉の裏などで休息しています。同じチョウでも、翅を開いて止まる種、たたんで止まる種がいます。足を止めながらゆっくり探してみてください。

求愛をするオオゴマダラのオス(左上)と、それを拒否するメス(右)

日向ぼっこをするカバタテハ

集団で水を飲むタイワンキチョウ

休憩中のイシガケチョウ

夕暮れで休息をするオオゴマダラ

昆虫園を裏から支える フタホシコオロギ

東京都多摩動物公園　昆虫園
関本 風太

昆虫園では、**チョウ**など草食の昆虫だけでなく、**カマキリ**など肉食の昆虫も飼育しています。

草食の昆虫のエサは、園内の植物を利用したり、自分たちで育てたりしています。では、肉食の昆虫のエサはどうしているのでしょうか。

実は、エサ用の昆虫を飼育・繁殖させ、それを与えているのです。エサ用に飼育している昆虫は何種類かいますが、今回はその中から、**フタホシコオロギ**を紹介します。

フタホシコオロギは、沖縄などの暖かい地域にすんでいる昆虫で、暖かければ年中繁殖してくれます。

つまり、一年中個体を確保できるため、エサになる昆虫としてはとても優秀というわけです。

ただ、暖かい地域にすんでいるフタホシコオロギには温度調節が必要で、飼育ケースのある部屋は、夜でも30℃以下にならないように注意しています。

産卵中のフタホシコオロギのメス

上から見たフタホシコオロギのメス

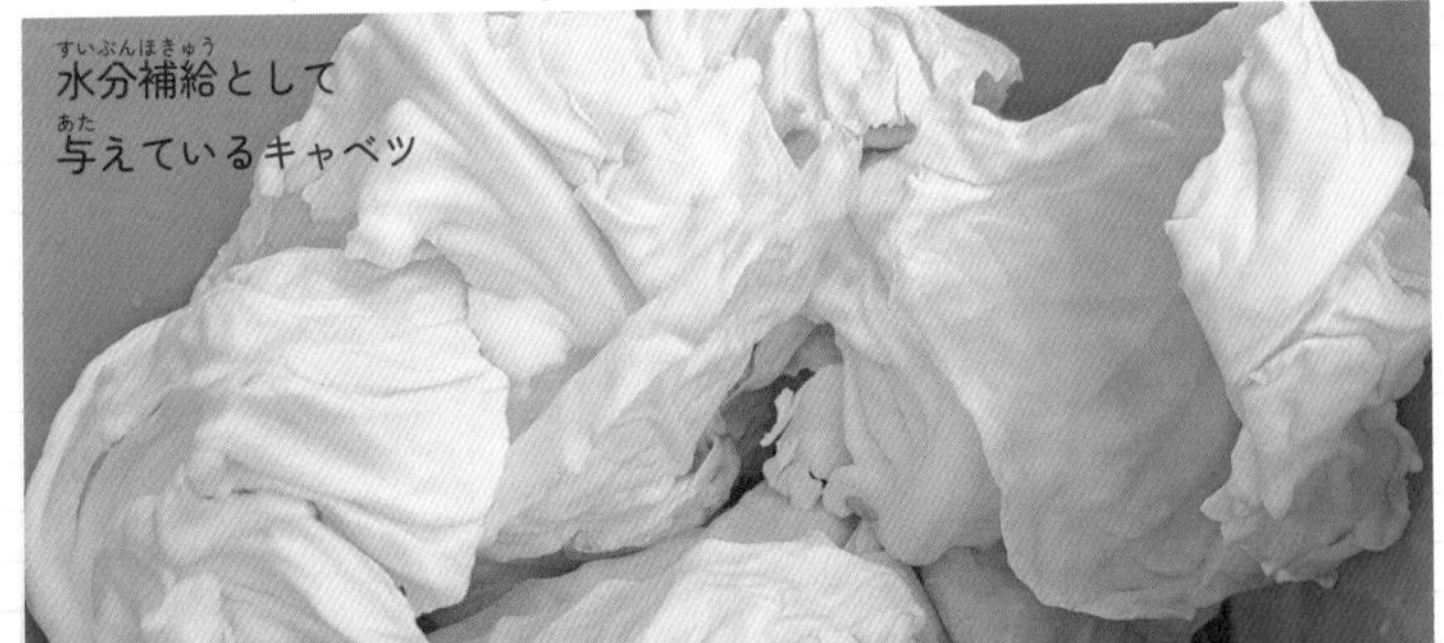

水分補給として
与えているキャベツ

そのため、この部屋で作業をすると、冬場でも汗をかくので、気を付けないと飼育係が熱中症になってしまいます。

肉食昆虫は自身のサイズによって、食べるエサの大きさが変わります。

フタホシコオロギも、体長が２㎜ほどの生まれたての幼虫から、30㎜ほどの成虫まで、約６段階にサイズを分け、それぞれの飼育ケースで飼育しています。

ただ、一つの飼育ケースの中に百数匹ものフタホシコオロギが入っていたりすると、自然と大きさにバラツキが生まれてきます。

そこで、肉食昆虫にエサを与えるときは、そのとき欲しいサイズの個体を、百数匹の中から飼育係が選んでいるのです。

ちなみに小さいコオロギのときは、柔らかい筆先を使って捕まえています。

肉食昆虫用のエサを購入することもできますが、昆虫園で累代飼育（124ページ参照）をすれば、いろいろなサイズを用意できるため、フタホシコオロギにはとても助けられています。

このように、昆虫園を裏から支えてくれているフタホシコオロギですが、自らが主役として展示にも出ていますので、ぜひ見に来てください。

6段階に分けた飼育ケース

飼育ケースを掃除中（右は大量のコオロギ）

14 色が変わる不思議な蛹

東京都多摩動物公園　昆虫園
田村　隼人

今回は私のオススメの昆虫、**ツマムラサキマダラ**の蛹を紹介します。

ツマムラサキマダラの幼虫が蛹になるときは、糸で足場を作り、お尻に糸をつけて逆さにぶら下がります（写真①）。

幼虫が、餌を食べていたときの写真（写真②）と比べてみてください。同じ幼虫とは思えないくらい、体の色が違いますよね。

脱皮をすると、オレンジ色でゼリーのような柔らかい蛹が現れます（写真③）。

その後、徐々にかたくなっていき、ツルツルの蛹になります。それにともない蛹の色も少しずつ変化していきます（写真④）。

しかも、時間とともに金属のような光沢が出てくるのです（写真⑤）。

そして羽化間近になると、今度は光沢がなくなり、翅の模様が透けてきます（写真⑥）。

羽化後の蛹の殻は、少し色が残っていますが、透明な抜け殻になります（写真⑦）。

① 体色の薄くなった前蛹

② ツマムラサキマダラの終齢幼虫

③ 脱皮したてのプルプルとした蛹

④ 脱皮して１日たった蛹

幼虫は、夏に天敵からの影響を受けやすいため、チョウを放し飼いにしている生態園では、卵や幼虫の時期に係員が回収してしまいます。ただ、天敵の少ない冬は、蛹になるのを待ってから回収します。

冬に生態園に訪れた際には、キラキラ光る蛹を探してみてください。

最後に生態園内の蛹の写真を載せておきます。左の写真のどこに蛹が隠れているかわかりますか？　答えは、右の写真の中にあります。

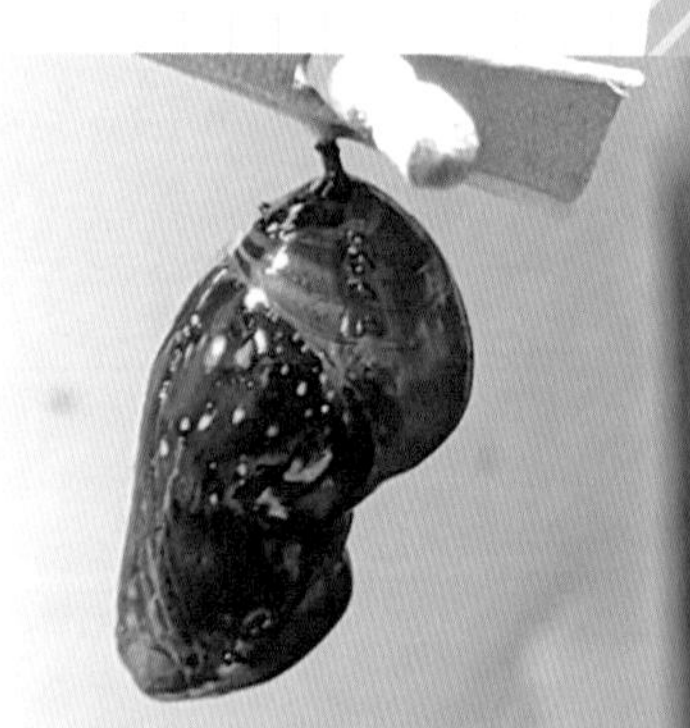
⑥ 羽化間近で、翅の模様が透けてみえる蛹

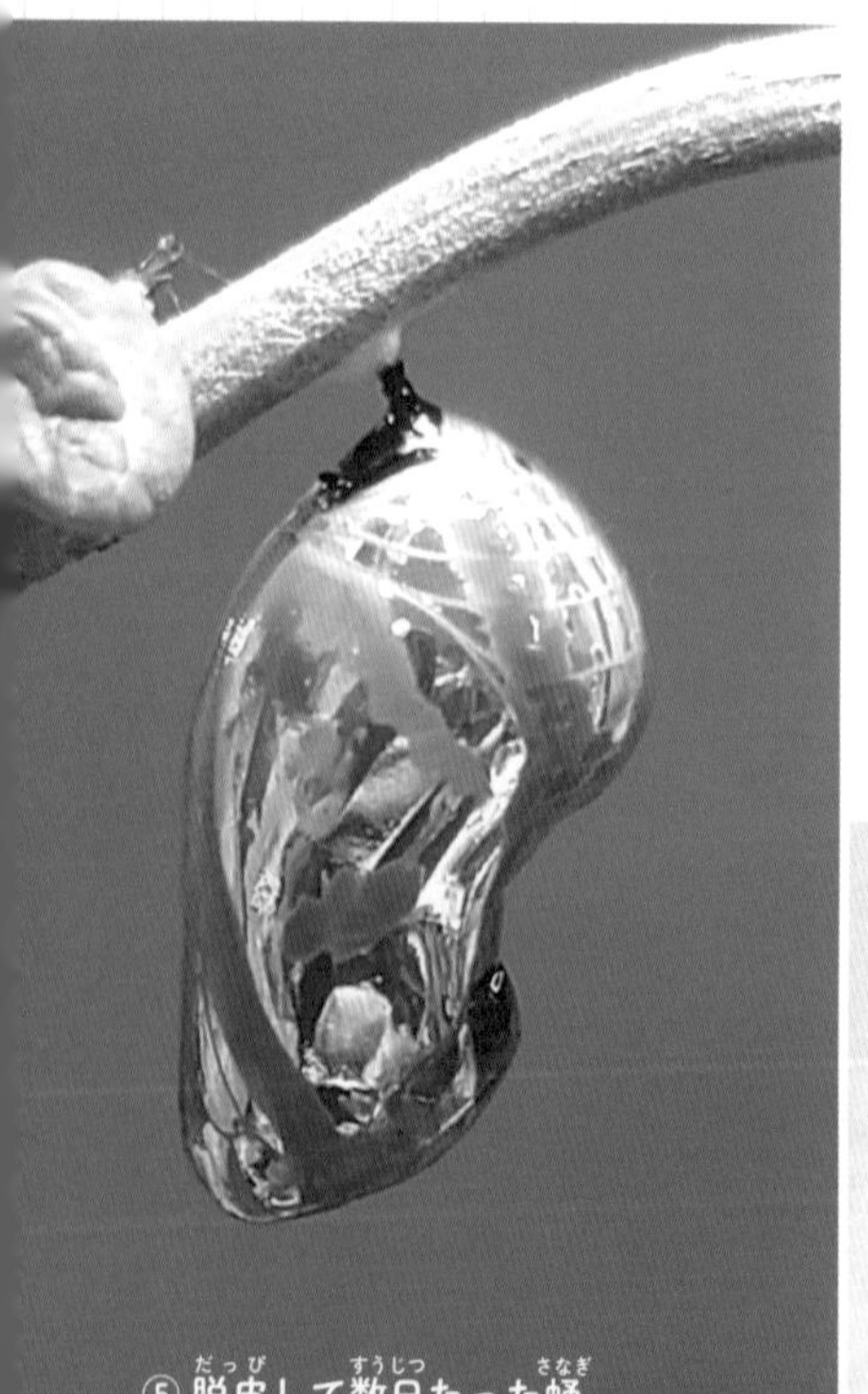
⑤ 脱皮して数日たった蛹

⑦ 羽化後の蛹の殻

ツマムラサキマダラ成虫のオス

生態園内の写真です。左の写真を見て、どこにツマムラサキマダラの蛹がいるか、わかりますか？　正解は右の写真です。

チョウの好きな色は何色でしょうか？

橿原市昆虫館
辻本　始

チョウの成虫には、花の蜜をエサにしている種類がたくさんいます。ただ一方で、世の中には、いろいろな種類の花があります。では、どうやってチョウたちは自分の好きな花を見つけているのでしょうか？　赤や黄、白など花の色を頼りに、チョウたちは好きな花を見つけているのでしょうか？　もしそうなら、チョウたちにも、花の色が見えていることになります。

これについて観察したところ、チョウは花なら何でもいいというわけではなさそうでした。何となくですが、好きな色の花と、あまり好きではない色の花がありそうです。

では本当に、チョウには好きな色があるのでしょうか？　実は以前、このことを調べるために、橿原市昆虫館の放蝶温室に、実験用の装置を取り付けたことがあります。

実験用の装置といっても、複雑な機械ではなく、アクリル毛糸でできた簡単に作れるポンポンです。

橿原市昆虫館の放蝶温室内にある花に集まるチョウたち

シロオビアゲハ

ジャコウアゲハ

赤、白、青、黄、緑、黒と、いろいろな色の毛糸でポンポンを作り、それに甘いスポーツ飲料を染み込ませたものを、放蝶温室に置いたことがあるのです。

結果、チョウがたくさん寄ってくる色のポンポンと、ほとんど寄ってこないポンポンがあることがわかりました。

たくさんのチョウが好んで寄ってきた色は、赤、白、黄、緑で、青と黒にはほとんど寄ってきませんでした。

中でも、一番人気だったのは赤いポンポンでした。

つまり、『チョウは、赤い色が一番好き』ということになりますよね？

しかし、そう簡単な話ではないのです。

実は、チョウの種類によって好きな色が違うらしいのです。

それを調べるために、今度は色を減らし、赤と白のポンポンだけを置いてみました。

すると、どちらの色にもチョウはたくさんやってきたのですが、チョウの種類にかたよりがあることに気が付きました。

橿原市昆虫館の放蝶温室には、**シロオビアゲハ**や**ナガサキアゲハ**などのアゲハチョ

赤い色のポンポンに集まり、黒と青には集まらないチョウ

シロオビアゲハ

ナガサキアゲハ

ツマムラサキマダラ

ツマベニチョウ

ウの仲間と、**オオゴマダラ**や**ツマムラサキマダラ**などのマダラチョウの仲間がたくさん飛んでいるのですが、赤色に集まるのはほとんどがアゲハチョウの仲間で、マダラチョウの仲間は、少ししかやってきませんでした。

一方、白色には、アゲハチョウの仲間はほとんど集まることなく、マダラチョウの仲間がたくさんやってきました。

つまり、アゲハチョウの仲間は赤色が好きで、マダラチョウの仲間は白色が好きということになります。

これで、チョウは種類によって好きな色が違うということがはっきりしました。

世の中にはいろいろな色の花がありますが、どうやら花の色によって、飛んでくるチョウに違いがありそうです。

もっと言うと、チョウたちは花であれば何でもいいわけではなく、ちゃんと色を見極め、好きな色の花を選んでいる可能性が高いといえそうです。

赤と白のポンポンは、今でも橿原市昆虫館の放蝶温室にぶら下がっています。橿原市昆虫館に来た際には、どちらのポンポンに、どんなチョウが集まっているか、ぜひ観察してみてください。

赤にはシロオビアゲハ、白にはツマムラサキマダラがたくさん集まっている

オオゴマダラ

玉繭によるカイコたちのシェアルーム

磐田市竜洋昆虫自然観察公園
柳澤 静磨

カイコは小学校の授業にも出てくる昆虫で、多くの方が一度はその名を聞いたことがあると思います。

カイコが作る繭からは、絹糸を取ることができ、服やハンカチなどに加工されます。

カイコの利用はそれだけにとどまらず、真綿や化粧水、楽器の弦などにも利用され、最近では昆虫食としても注目されるなど、さまざまな分野で活躍しています。

カイコを飼育し、糸を生産する「養蚕」はかつて日本の一大産業でした。しかし現在は海外からの低価格繭の輸入、後継者不足などにより、養蚕を営む農家さんが減っています。

そのため、授業で習う昆虫ではあるものの、昔に比べてカイコを目にする機会が減っています。

カイコは、噛みついたりもせず、見た目も白くて可愛らしいため、子供から大人まで人気の昆虫です。

カイコには色のついた繭を作る品種・系統もいます

幅広い世代に人気のあるカイコ

「見たい」という声も多く、私の勤める竜洋昆虫自然観察公園でも、毎年たくさんのカイコを飼育・展示しています。

たまに「カイコはどこに行けば見つけられますか？」という質問をいただきますが、カイコは人間が作り出した昆虫で、野外には生息していません。そのため、飼育するには卵や幼虫を購入する必要があるのです。

当園では蚕種会社さんなどから譲り受けたカイコを年に数百匹飼育しています。これだけ飼育していると、得られる繭も豊富です。

繭の一部は糸をとる用に冷凍保存しますが、ほとんどの繭はクラフトなどで使うため、カッターで繭を切り、中のサナギを取り出して保存しておきます（サナギは別で管理します）。

このとき、稀に繭が堅く、1つの繭に2匹のサナギが入っている繭があります。これは、複数の幼虫が共同で作った繭で、このような繭を玉繭（同功繭）といいます。

玉繭は、1つの繭から2本の糸が出るため、製糸すると節の多いものになってしまうことから、真綿などの材料として使われることが多いようです。

玉繭についてネットで調べてみると、「オスとメスが一緒に作る」という記述が見られ

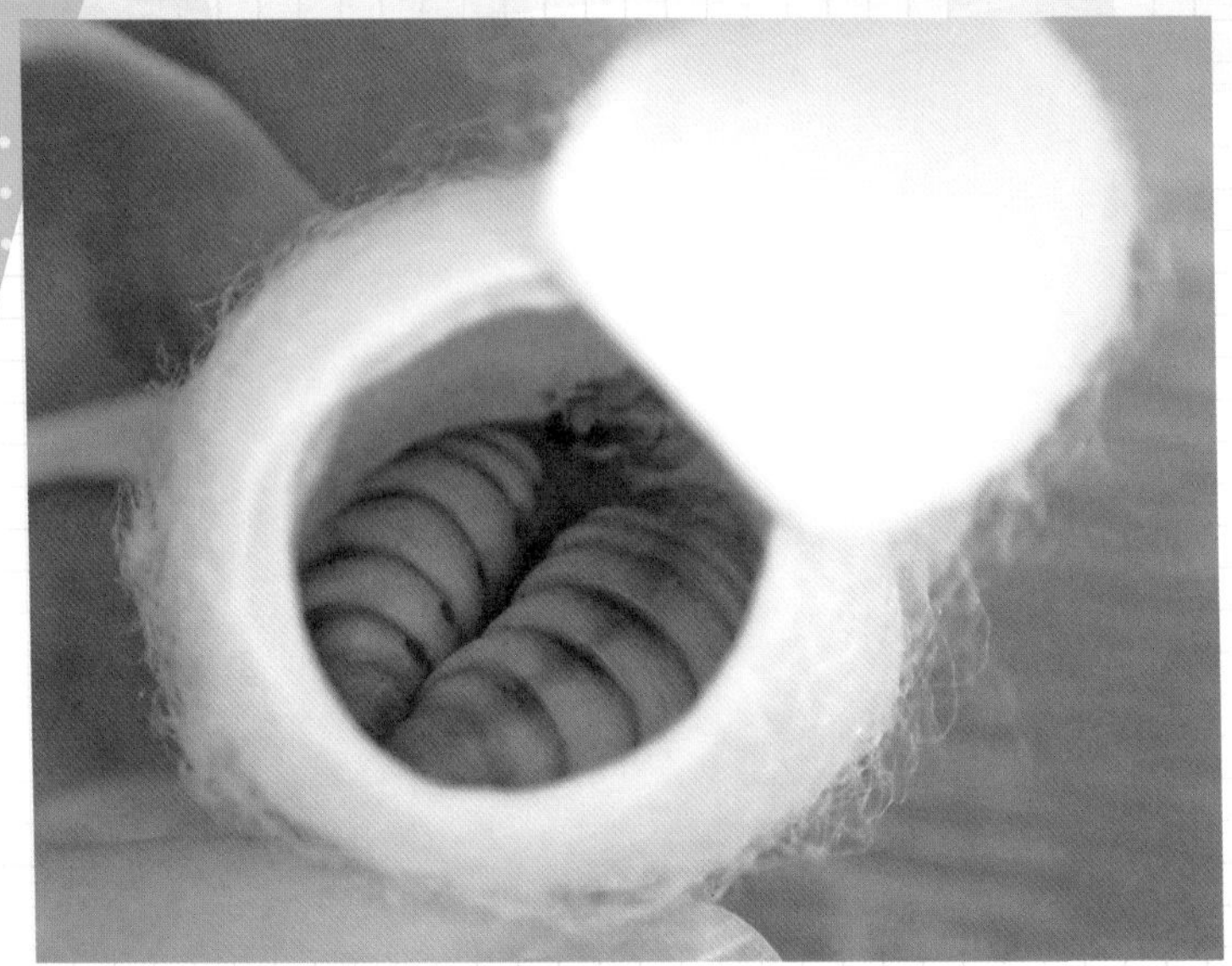

玉繭の中のサナギ

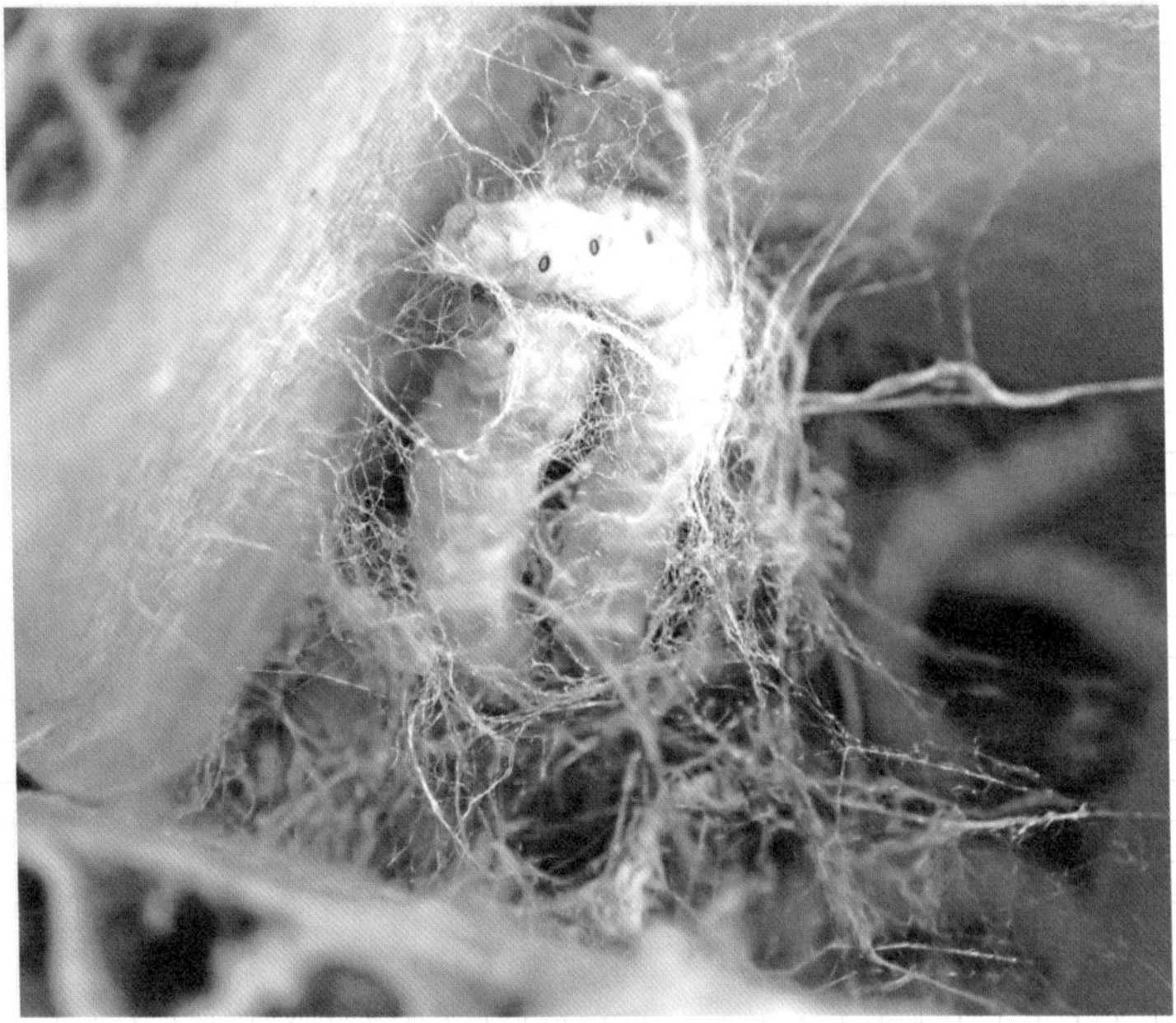

玉繭を作っている様子

ます。このことから、夫婦仲がいいことの例えとしてカイコの名が使われることがあります。しかし、玉繭は必ずしもオスとメスで作るわけではなく、オスとオス、またはメスとメスで作る玉繭もあります。

これまで私は、昆虫館で一万匹を超すカイコの飼育に携わってきました。玉繭もかなりの数を見てきましたが、そのほとんどが2匹で玉繭を作っていました。ただ、これまでにたった一度だけ、3匹が一緒に作った玉繭を見つけています。

なぜこのように2匹が喧嘩せずに共同で繭を作るのか、気になって調べてみたのですが、はっきりとした答えは見つかりませんでした。

2匹が共同で繭を作ると、繭が厚くなるため、生存する上で都合がいいのかもしれません。もしくは、狭いところで別々に作って、不完全な繭になるよりはいいということなのかもしれません。カイコにインタビューしてみたいのですが、私はそこまでカイコと打ち解けていないので、未だ謎のままです。

自由研究などでカイコを飼う機会があったら、2匹が一緒に繭を作っているカイコがいないか、注目してみてください。もしかしたら、新たな気づきがあるかもしれません。

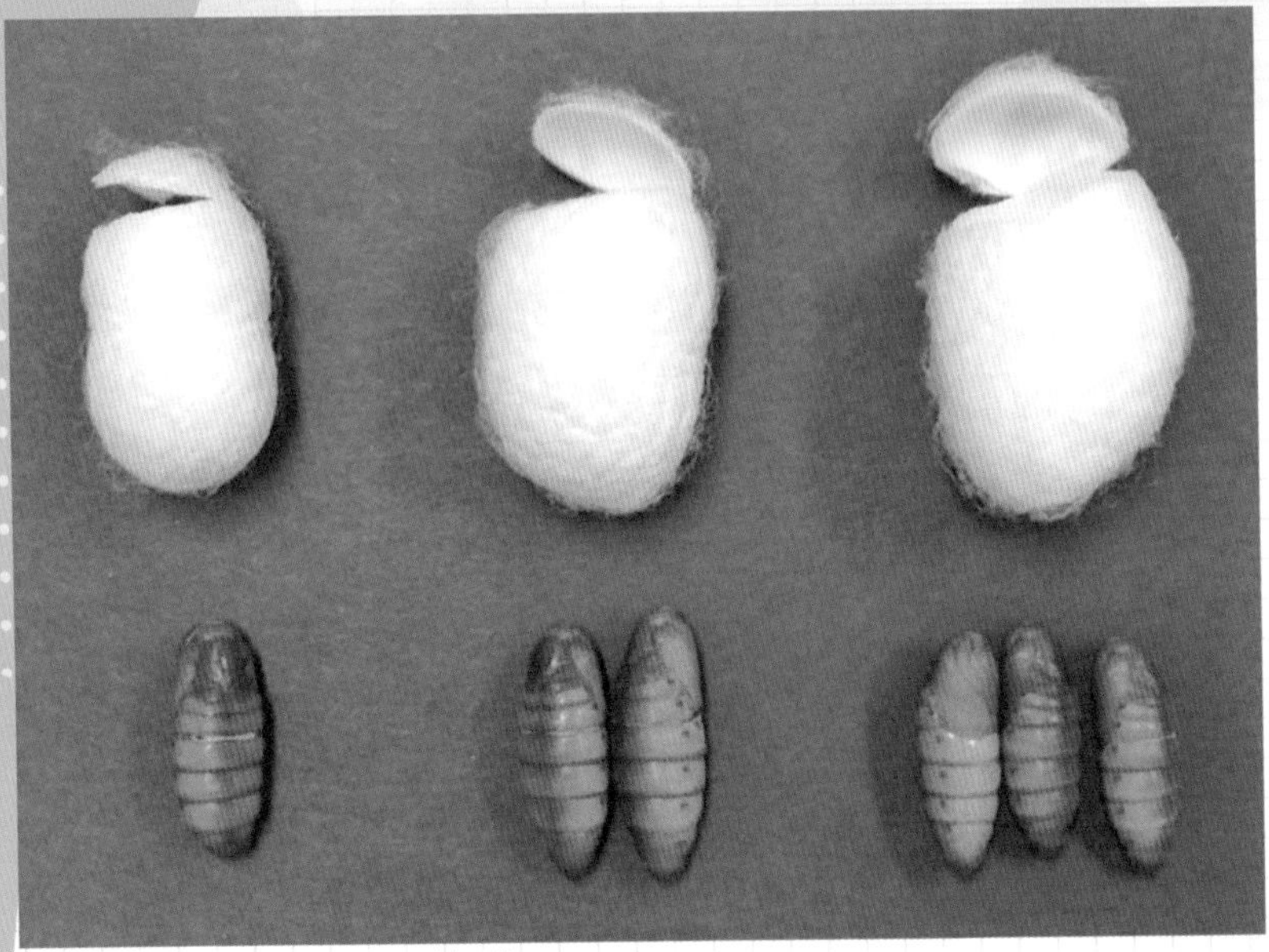

繭と入っていたサナギ

サナギは繭から出してもしっかり管理すれば羽化します

標本収蔵数約250種のフンのコレクション

伊丹市昆虫館
角正 美雪

伊丹市昆虫館では、たくさんの昆虫のフンを収集しています。今回はその一部を紹介したいと思います。

昆虫のフンの収集方法は、自然界から採集するというよりは、飼育しているときに採集します。

採集したフンは、必ず乾燥させます。これはエサの残りカス以外に、吸収されなかった水分などが含まれているからです。

乾燥機でじっくり乾かすと、水分を多く含む**ガ**や**チョウ**のフンは、びっくりするほど小さくしぼんでしまいます。

昆虫標本と同じで、フン標本の保存においてもカビは大敵です。ちょっとでも湿り気が残っていると、いつの間にかカビが生えてしまい、せっかくのフン標本が展示できない状態になってしまうからです。

また、定期的にチェックすることも重要です。このように大切に保管されているフン標本は、なんと約250種になりました。

おもにバッタの仲間やトンボにみられる形

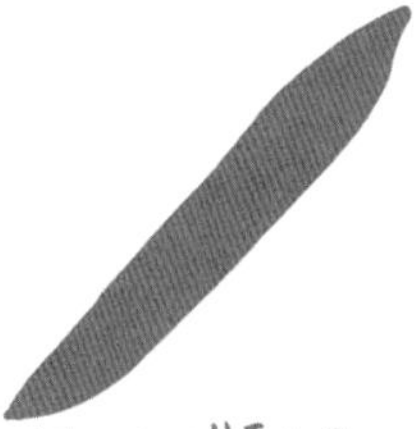

ほそながうんこ

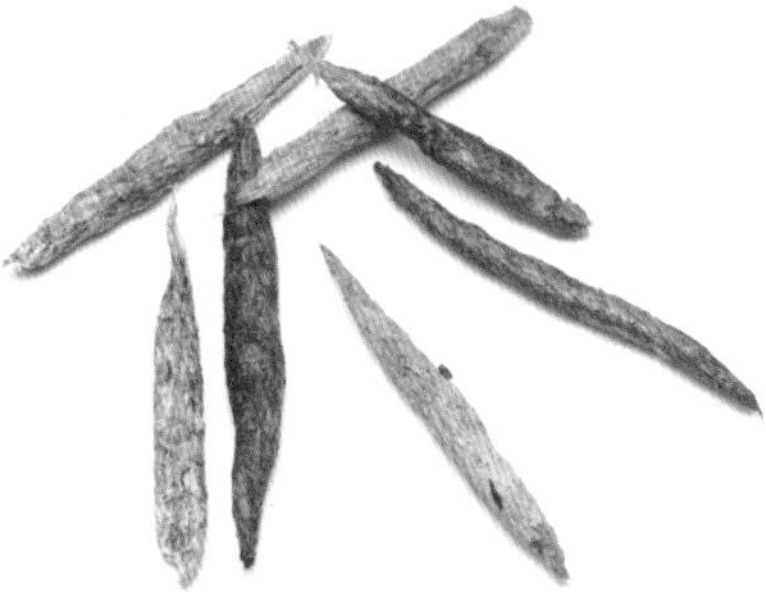

ショウリョウバッタの成虫

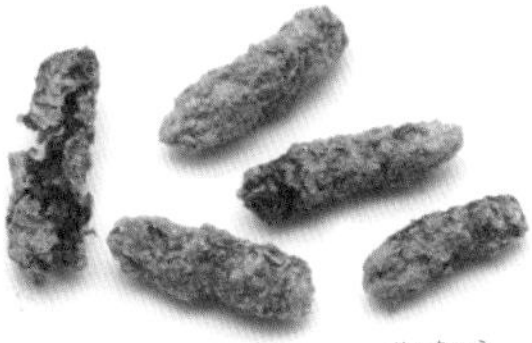

シオカラトンボの成虫

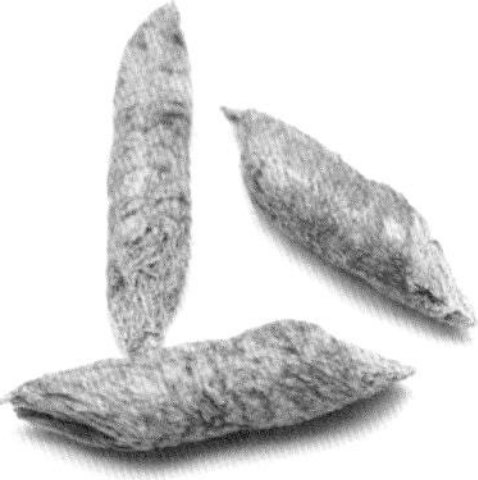

トノサマバッタの成虫

オニヤンマの成虫

カブトムシなどの幼虫にみられる形

ながしかくうんこ

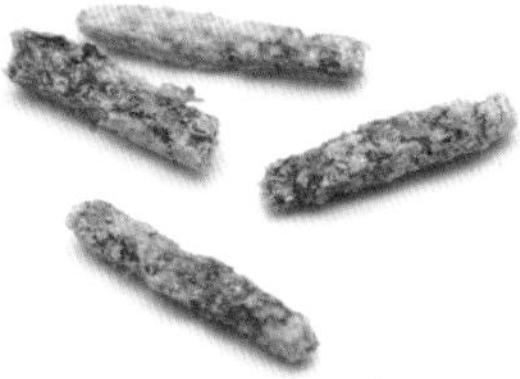

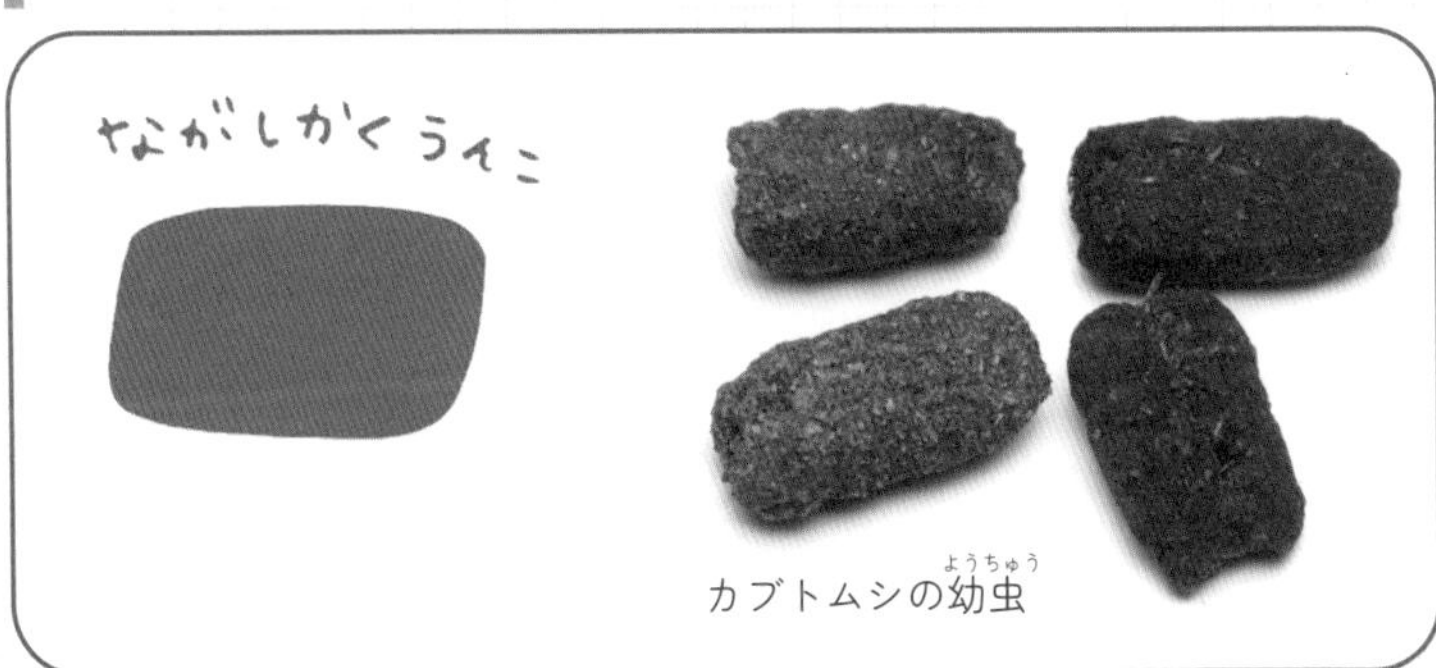

カブトムシの幼虫

ただ、昆虫の食性によって、収集できないフンもあります。液体のエサを食べる昆虫のフンは、水のようなフン（おしっこのよう）なのです。

たとえば、木や草の汁を吸う**セミ**や**カメムシ**の仲間、花のミツや樹液がエサの**チョウ**や**カブトムシ**、**クワガタムシ**の成虫などです。

これらのフンは集めることができないため、映像で記録するか、ろ紙などで吸い取るぐらいしかできません。

また、フンの形は種によってさまざまです。

これは、体型やフンを形づくる直腸の形によって決まるからだそうです。

生き物は、食べて、フンをする。当たり前のことですが、伊丹市昆虫館の飼育室では、昆虫の成長と健康を観察するうえで、重要な手がかりとして活用しています。

「脱皮前はフンの量が少なくなるのか？」「成虫になるまでのフンの総量は？」など、みなさんも自由研究などの機会に飼育観察の記録として、調べてみるのも面白いと思います。

一部のガの仲間の幼虫にみられる形

断面がお花のようです。

ぼこぼこ
うんこ

エビガラスズメの幼虫

ヤママユの幼虫

クスサンの幼虫

アゲハの仲間や一部のガの仲間の幼虫にみられる形

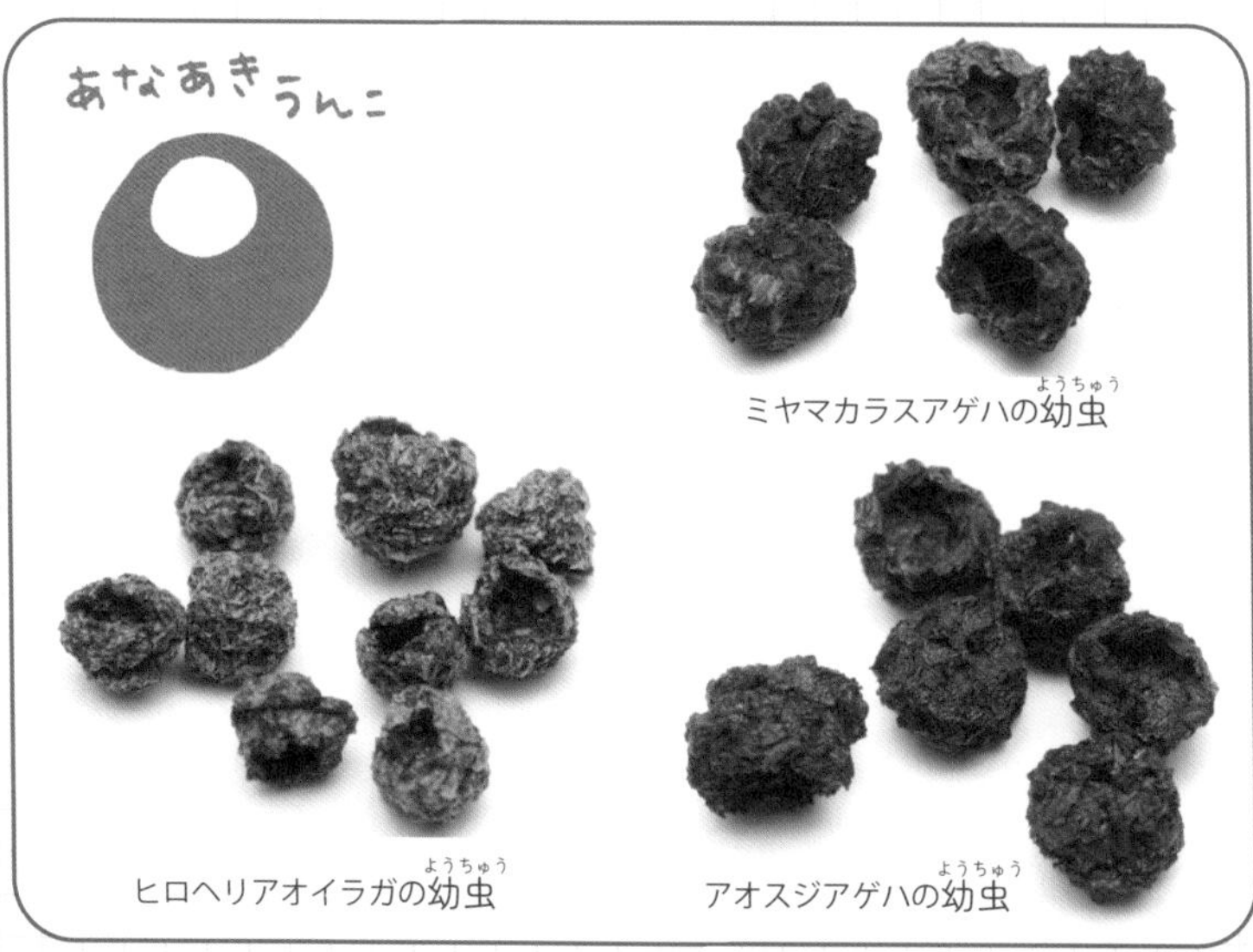

ミヤマカラスアゲハの幼虫

ヒロヘリアオイラガの幼虫

アオスジアゲハの幼虫

「フンの研究なんて、臭くて汚い」と思われがちですが、形状をよく見ると、きれいで面白かったりもします。

実は**カイコ**の幼虫のフンは、中国では漢方薬として利用され、ラオスではお茶として飲まれていたりするのです。知ってましたか？

また昆虫のフンを使って、布を染める「染色」もできるのです。昆虫ではありませんが、**ダンゴムシ**のフンからは抗カビ物質が発見されました。このようにフンは、捨てたものではないのです。

私もまだまだ集めていない種のフン、理想の形のフンを求めて日々、飼育します！

くねくねの形の代表はナナフシの仲間

ひとつひとつ形が違います。

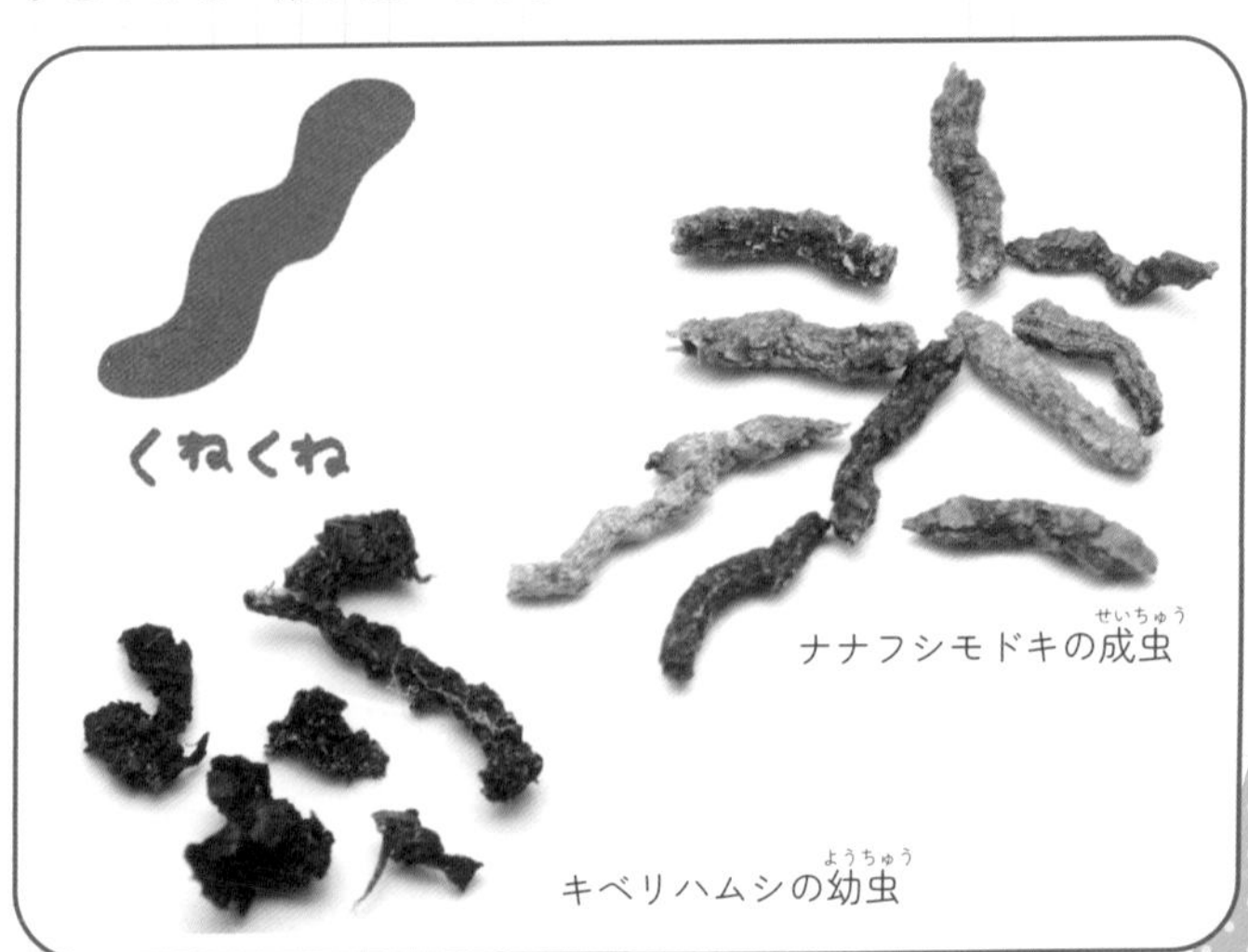

ナナフシモドキの成虫

キベリハムシの幼虫

アゲハの幼虫

さまざまな昆虫にみられる形

まん丸、ほそ長い丸、ぺちゃんこ丸など形もいろいろです。

まるうんこ

ゴマダラチョウの幼虫

コクワガタの幼虫

オオゴキブリの成虫

オオカマキリの成虫

【参考文献】
「新応用昆虫学」 斎藤哲夫ほか 朝倉書店 2000年
「昆虫の特異な窒素再利用システム」平山力 化学と生物 Vol.41,No.3,2003
「むしのうんこ」伊丹市昆虫館編 柏書房 2005年

18 ぐんま昆虫の森で虫さがし！

群馬県立ぐんま昆虫の森
金杉 隆雄

みなさんは、**カブトムシ**や**クワガタムシ**を採ったことがありますか?

「家のまわりでカブトムシやクワガタムシなんて見たことない」「どんなところにいるのか知らない」「売っているものしか飼ったことない」という人もいると思います。

カブトムシがすんでいる場所といえば、森や林をイメージすると思いますが、スギやヒノキが立ち並ぶような場所に行っても、見つかることはまずありません。カブトムシをはじめとする多くの昆虫たちがすんでいるのは、雑木林と呼ばれるいろいろな木が生えている場所になります。

「そんなことを言われても、雑木林なんてどこにあるのかわからない」という人は、ぜひぐんま昆虫の森へいらしてください。

『ぐんま昆虫の森』は、日本で一番広い昆虫施設で、東京ドームのおよそ10個分（45ヘクタール）の広さがあります。

園内には、クヌギやコナラなどを中心としたいろいろな木々が生える雑木林が広が

ぐんま昆虫の森にある雑木林

カブトムシ　　ノコギリクワガタ

っています。雑木林のほかにも田んぼや畑、池や小川などがあり、いわゆる里山と呼ばれる環境なのです。

里山にはいろいろな生き物がすんでいます。カブトムシや国蝶の**オオムラサキ**など、森を好む昆虫のすみかになっています。

田んぼや池には、**トンボの幼虫のヤゴ**や水面を泳ぐ**アメンボ**などの水辺の生き物が見られます。草原には、**バッタ**や**カマキリ**などがすんでいます。これらの生物が生きていくには、人間が昔から利用・管理してきた里山の環境がとても合っているのです。

たとえばカブトムシの幼虫は、落ち葉などを集めて作ったたい肥や、シイタケ栽培に使ったのち、朽ちてしまった廃ほだ木などを食べて育ちます。成虫になったカブトムシは、クヌギやコナラなど木からしみ出る樹液が大好物です。

オオムラサキの幼虫は、雑木林に生えるエノキの木の葉を食べて育ちますが、成虫になるとカブトムシと同じく樹液を吸っています。

田植えのために田んぼに水を張ると、カエルがやってきて卵を産み、オタマジャクシが泳ぐようになります。

ゲンゴロウなどの水生コウチュウの仲間や水生カメムシの仲間なども水辺に飛んできます。

樹液を吸う虫たち

アメンボ

オオカマキリ

トノサマバッタ

オオムラサキの幼虫

その昔、農村では飼っていた牛や馬のエサや、かやぶき屋根の材料となる草を育てるための草原がありました。この草原は、明るく開けた場所を好む昆虫たちのすみかでした。里山にすむ昆虫などの生き物は、人間が管理し育んでいた雑木林やその周囲の農村環境をうまく利用して生きてきたのです。

ぐんま昆虫の森では、このような里山を整備することで、昆虫たちがすみやすいさまざまな環境を作り出しています。

園内では、春・夏・秋・冬とそれぞれの季節に現れる昆虫を観察することができます。

また、野外の里山だけでなく、一年を通して生きた昆虫や標本などを展示し、クラフト体験などもできる昆虫観察館をはじめ、たくさんのチョウが飛ぶ、日本の南西諸島をイメージした温室があります。

明治時代の養蚕農家（**カイコ**を飼育している農家）で一般的に使われていたかやぶき民家では、季節によってカイコを飼育したり、昔のくらしや遊びの体験もできます。

このほかにも昆虫をはじめ、生き物や自然に関する数千冊の本を読んだり、調べたりすることができるフォローアップ学習コーナーもあります。みなさんも『ぐんま昆虫の森』で、昆虫さがしやわくわくする体験活動をしてみませんか？

昆虫観察館

オオゴマダラ（昆虫ふれあい温室）

園内にあるかやぶき民家

ピッタリはまる精巧な形

足立区生物園
腰塚 祐介

昆虫は種類が多く、体の形もさまざまです。

しかしどの昆虫も、外骨格と呼ばれる硬くて頑丈な表面に覆われています。

昆虫の体全体は、この発達した外骨格で支えられているのです。しかも外骨格には、機能的ともいえる見事な仕組みが備わっています。

ここでは、**カマキリ**と**ナナフシ**を例に、私が気づいた「体の一部がピッタリはまる精巧な形」について紹介します。

■カマキリの仲間

カマキリの前脚は鎌のような形をしています。これは獲物を捕まえるために発達したものです。

腿節と脛節に並んだ2列のたくさんのトゲ(左の写真)で、獲物を挟み込んで捕まえています。

脛節の先端は長く伸びており、閉じた時に腿節とぶつかってしまいそうなつくりをしているのですが、不思議なことにカマキリは前脚をしっかりと閉じることができます。

しっかり閉じているときのカマキリの前脚

腿節と脛節に並んだたくさんのトゲ

これは、腿節を観察するとわかるのですが、内側にわずかな窪みがあり、そこに脛節の先端が、ピッタリと収まるようになっているからです。じっくり見ないと気が付かないわずかな窪みですが、これのおかげで小さな獲物や細い獲物の脚などを自在に掴むことができるのです。

小さいけれども、カマキリが生きていくためにはとっても大事な部分といえます。

ナナフシの仲間

ナナフシの仲間は、枝に擬態することで身を守っています。そのため、体や脚が、枝のように細長いつくりをしています。

オオカマキリの前脚

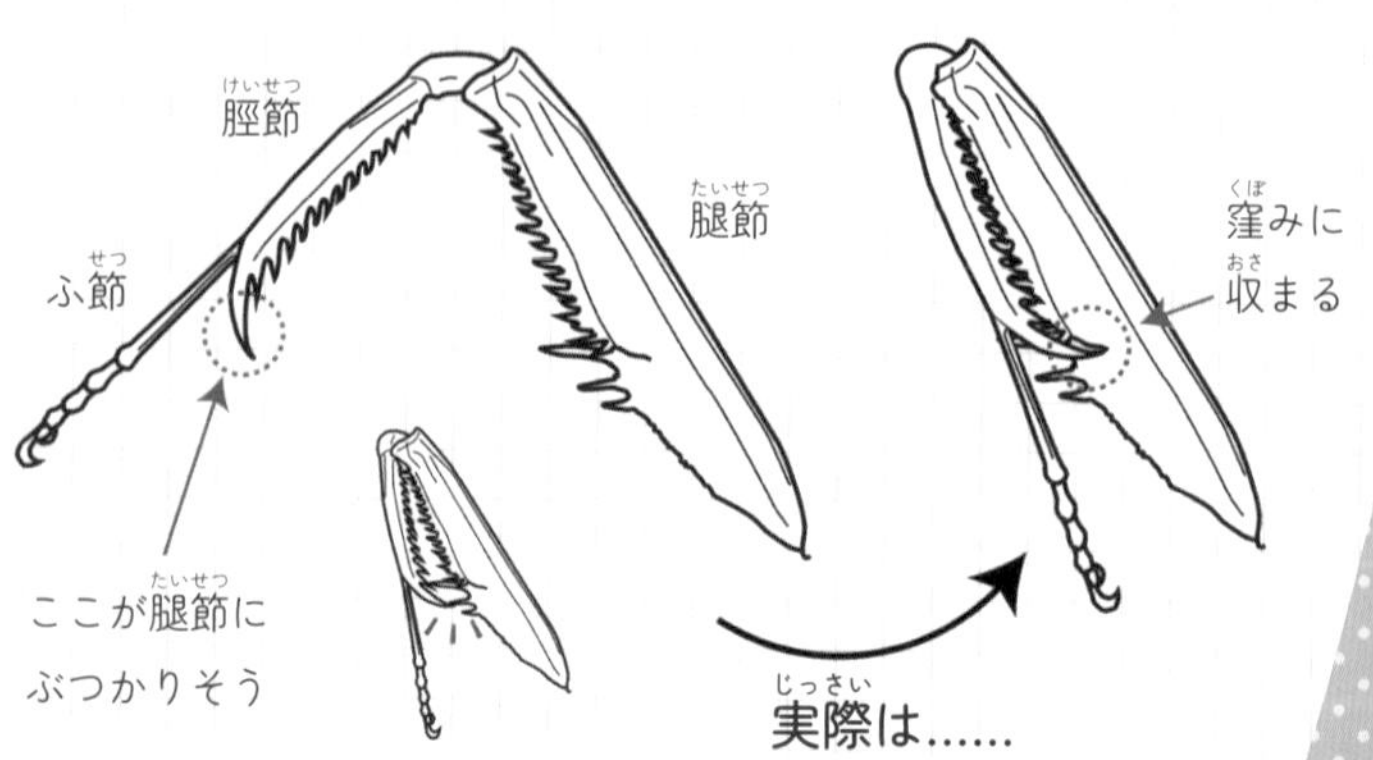

擬態（ぎたい）しているナナフシ

ナナフシの脚ですが、よく見ると前脚だけ腿節の形が違います。

左の写真を見てもわかるように、単純な直線ではなく、根元付近でわずかにカーブを描いて細くなっているのです。

なぜ前脚だけ？と思ったのですが、擬態のポーズを見て納得しました。

ナナフシは、前脚を頭の上にピンと伸ばして静止し、枝に擬態します。中脚と後脚を除き、腹部から前脚の先端まで一直線になるわけです。実はこのポーズのときに、前脚のカーブが活きてきます。

なんとカーブの部分に、頭部がピッタリと収まるのです。写真を見てください。横や裏から見ても隙間がないという精巧さ。思わず感心してしまいました。

もし前脚が中脚や後脚と同じ形をしていたら、頭部とぶつかっていました。このカーブのおかげで、上下左右どこから見てもまっすぐな枝にしか見えない、見事な擬態で天敵から身を守っているのです。

このような形態は、昆虫が環境に適応して生き残るために獲得したものと考えられています。長い時間をかけて洗練されてきたからこそ、職人技のように精巧な作りになっているのです。

どの写真(しゃしん)にもナナフシがいます

私の好きないもむしの脱皮

（公財）宮崎文化振興協会大淀川学習館
永田 涼花（元職員）

私はいもむしが大好きです。

むっちりとした体に吸盤のように吸い付く腹脚。おしりが開いて、ウンチがころんっと転がり落ちる瞬間まで大好きです（笑）。

こんな私ですから、どんな姿のいもむしも大好きなのですが、中でも一番のお気に入りは脱皮をする瞬間です。

私が脱皮の瞬間を、最初から最後まで初めて観察したのは、大学生のときでした。

卒業論文のために、脱皮直前の**セスジスズメ**の幼虫の体重を量っていたときです。唐突に、脱皮の瞬間をじっくり見てみようと思ったのです。

そろそろ脱皮しそうな個体をひたすら観察し、1時間が経過したときです。幼虫の体に変化があらわれました。

体の表面にシワが寄りはじめ、薄い皮の下で模様がどんどん前にずれていったのです。

しばらくすると頭殻のすぐ後ろの皮がめりっと破れ、中から新しい頭殻が出てきました。そして5分ほどで全ての殻を脱ぎ捨

すべての殻を脱ぎ捨てた
セスジスズメの幼虫

てたかと思ったら、最後に尾角（幼虫の尾の先にある突起）が、ぴんっと古い殻の中から跳ね上がって出てきたのです。

脱皮直後の頭殻や尾角、お尻は緑色でみずみずしく、感動したのを覚えています。

その後、私は教育実習で中学校に行くことになりました。最終日に虫の話をする機会をいただいたので、虫の脱皮について話をすることにしました。

生徒の大半は、脱皮はヘビがするものという認識で、虫も脱皮をすることに驚いていました。脱皮の映像を見せると、生徒たちが真剣に映像に見入っているのが伝わってきます。息をのんで脱皮の瞬間を見守り、そして最後に尾角がぴんっと跳ね上がったところで、小さく「わっ！」という声や「すご……」という声が聞こえてきました。

このような機会がなければ、生徒たちは虫が脱皮することや、小さな感動を覚えることはなかったと思います。

知らなくても困ることではありませんが、なんだかもったいない気がします。ですから私は、少しでも周りの生き物に興味を持つきっかけになればと思うのです。

模様(もよう)がどんどん前(まえ)にずれている脱皮中(だっぴちゅう)のセスジスズメの幼虫(ようちゅう)

新(あたら)しい頭殻(とうかく)が出(で)てきた脱皮中(だっぴちゅう)のセスジスズメの幼虫(ようちゅう)

コガネグモの仲間たち

磐田市竜洋昆虫自然観察公園
柳澤 恵

クモを好きになった頃の私は、クモの図鑑を広げては「この色が素敵だ、この形がかっこいい!」と眺めていました。なかでも、**コガネグモ**の黄色と黒色の腹部の模様と長い脚がとても魅力的に見えました。

今回は私が見たことのあるコガネグモの仲間6種を紹介します。1種1種見ていくと、体の形や色、模様の違いが見えてくるのではないでしょうか。みなさんの住んでいる場所には、どんなコガネグモの仲間が生息しているか、ぜひ調べてみてください。

① **コガネグモ**：体長 メス 20 ～ 30mm、オス 5 ～ 7mm。水田や草原などの明るい場所で、丈の高い草に網を張る。

② **コガタコガネグモ**：体長 メス 6 ～ 12mm、オス 4 ～ 5mm。平地から山地の雑木林や林道などの暗い場所に網を張る。網に X 字状の隠れ帯を付けている。

③ **ムシバミコガネグモ**：体長 メス 9 ～ 18mm、オス 3.5 ～ 6mm。人家や神社などの建物の周囲などに網を張る。

④ **チュウガタコガネグモ**：体長 メス 15 ～ 18mm、オス 5 ～ 6mm。山地でよく見つかる。

⑤ **ナガマルコガネグモ**：体長 メス 20 ～ 25mm、オス 4 ～ 6mm。南西諸島に分布。草地の低い位置で網を張っていたところを目撃。

⑥ **ナガコガネグモ**：体長 メス 20 ～ 25mm、オス 6 ～ 12mm。平地から山地の草原や河原、水田に生息している。

参考文献　新海栄一, 2006. 日本のクモ. 文一総合出版

①
②
③
④
⑤
⑥

昆虫館へ行こう！

❶ 丸瀬布昆虫生態館

沖縄の蝶が飛ぶ温室や世界のカブトムシ・クワガタムシ、地元北海道の昆虫など、生き物いっぱいの昆虫館です。隣接する森林公園を走るＳＬ「雨宮21号」と共に、「本物」が「生きている」姿を見ることのできる施設です。

住 〒099-0213　北海道紋別郡遠軽町丸瀬布上武利68 電 0158-47-3927 開 4～10月 9:00～17:00、11～3月 10:00～16:00 休 火曜日（祝日の場合は翌日）、年末年始　※夏休み期間中およびGWは無休 料 大人 420円、小中高生 160円、幼児無料ほか 駅 JR「石北本線丸瀬布駅」から町営バス「いこいの森」下車

❷ 胎内昆虫の家

地元胎内で研究を続けた世界的昆虫学者、馬場金太郎博士のコレクションを収めた昆虫館です。世界や日本の昆虫標本だけでなく、生きた昆虫の生態展示や体験なども充実しており、昆虫の世界を楽しく学ぶことができます。

住 〒959-2822　新潟県胎内市夏井1204-1 電 0254-48-3300 開 9:00～17:00※ 休 月曜日（祝日の場合は翌日）、冬期間（12月1日～3月19日）料 一般410円、小中学生260円 駅 JR羽越本線「中条駅」から車で20分

❸ アクアマリンいなわしろカワセミ水族館

福島県内で見られる淡水生物たちを中心に、魚類、カワセミ、カワウソなどを展示。なかでも「おもしろ箱水族館・生物多様性の世界」では、県内で見られるゲンゴロウを中心とした水生昆虫など約80種類を見ることができます。

住 〒969-3283　福島県耶麻郡猪苗代町大字長田字東中丸3447-4 電 0242-72-1135 休 3～10月 9:30～17:00※、11月～2月 9:30～16:00※ 開 年中無休 料 高校生以上700円、小中学生300円、未就学児無料ほか 駅 JR磐越西線「猪苗代駅」からタクシーで10分 X @InawashiroAQ

❹ ふくしま森の科学体験センター　ムシテックワールド

科学実験、工作、自然体験プログラム等を通して、自然科学を楽しむことができます。巨大な昆虫模型のある展示室では、昆虫の不思議な生態や環境と共存する様子を知ることができます。世界のカブト・クワガタの展示もあります。

住 〒962-0728　福島県須賀川市虹の台100 電 0248-89-1120 開 9:00～16:30 休 月曜日（祝日の場合は翌日）、年末年始 料 大人410円、高校・大学生200円、小・中学生100円、未就学児無料ほか 駅 JR「須賀川駅」から12km

昆虫館
MAP
全国昆虫施設連絡協議会
加盟施設マップ
1
2
3
4
5
6
7
8
9
10
11

❺ 北杜市オオムラサキセンター

国蝶オオムラサキの日本一の生息地にある昆虫館。オオムラサキの生態を1年を通して観察できるほか、施設周囲に広がる約6haの里山を活用した昆虫観察会や、木工工作体験など、多種多様な体験プログラムを開催しています。

住 〒408-0024 山梨県北杜市長坂町富岡2812 電 0551-32-6648 開 7〜8月 8:30〜19:00※、12〜3月 9:00〜16:00※、それ以外の期間 9:00〜17:00※ 休 月曜日(祝日の場合は翌日)、年末年始、夏季(7月下旬~8月)無休 料 大人420円、小中学生200円、北杜市内通学中の小中学生無料 駅 JR中央線「日野春駅」から徒歩15分、または市民バス「北杜高校 バス停」下車徒歩1分 X @oomurasaki_cntr

❻ 群馬県立ぐんま昆虫の森

40ha以上の広大な里山で昆虫をはじめとする生き物とのふれあいや観察ができる施設。昆虫観察館では里山や外国産の昆虫などの生きた昆虫や標本の展示のほか、企画展や季節展、体験イベント等も開催しています。

住 〒376-0132 群馬県桐生市新里町鶴ヶ谷460-1 電 0277-74-6441 開 4〜10月 9:30〜16:30※、11〜3月 9:30〜16:00※ 休 月曜日(祝日の場合は翌日)、年末年始 料 大人410円、大学・高校生200円、中学生以下無料ほか 駅 東武鉄道「赤城駅」からタクシー10分、または上毛電鉄「新里駅」からタクシー10分 X @konchuu05

❼ 栃木県井頭公園花ちょう遊館

「花ちょう遊館」の「花」は高山植物・熱帯植物、「ちょう」は熱帯・亜熱帯性の鳥と蝶を意味します。「チョウゾーン」ではブーゲンビレアなどの花が咲く中を6種類前後、約150頭の蝶が飛び交っています。

住 〒321-4415 栃木県真岡市下籠谷99 電 0285-83-3121 開 9:00〜16:30※ 休 火曜日(祝日の場合は翌日)、年末年始 料 大人600円、高・中・小学生300円、幼児無料ほか 駅 JR「宇都宮駅」から関東バス(真岡行き)「大内西小前」下車、徒歩30分

❽ 東京都多摩動物公園　昆虫園

多摩動物公園の中にある昆虫館です。大温室で放し飼いにしているチョウやバッタなどを観察できる昆虫生態園と、外国産のハキリアリやグローワームなどの珍しい昆虫に出会える昆虫園本館の二つの建物があります。

住 〒191-0042 東京都日野市程久保7-1-1 電 042-591-1611 開 9:30〜17:00(昆虫園は16:30まで、動物園入園は16:00まで) 休 水曜日(祝日や振替休日、都民の日の場合は翌日)、年末年始 料 大人600円、中学生200円、小学生以下無料。※ 都内在住の中学生無料ほか 駅 京王線・多摩モノレール「多摩動物公園駅」から徒歩1分 X @TamaZooPark

⑨ 足立区生物園

昆虫をはじめ、魚類、両生類、は虫類、鳥類、哺乳類など約500種の生き物を飼育・展示しています。チョウの大温室や観察展示室など、さまざまな生き物について「知る」「ふれあう」機会を提供することに力をいれています。

住 〒121-0064　東京都足立区保木間2-17-1 電 03-3884-5577 開 2〜10月 9:30〜17:00※（足立区が定める夏休み期間中は17:30※まで）、11月〜1月 9:30〜16:30※ 休 月曜日（祝日の場合は翌日）、年末年始 ※ 足立区が定める夏休み期間中は無休 料 高校生以上300円、小中学生150円、未就学児無料ほか 駅 東武スカイツリーライン「竹ノ塚駅」東口からバス、花畑団地行き、または綾瀬行き「保木間仲通り」下車徒歩10分 X @seibutuen_info

⑩ つくば市立豊里ゆかりの森昆虫館

里山の自然公園、豊里ゆかりの森にある昆虫館です。里山の雑木林には国蝶のオオムラサキをはじめ、カブトムシやクワガタムシ、オニヤンマなどの昆虫が生息しており、里山の昆虫の四季の変化を体感することができます。

住 〒300-2633　茨城県つくば市遠東676 電 029-847-5061 開 9:00〜16:30
休 月曜日（祝日の場合は翌日）、年末年始 料 大人220円、小人（小中高）110円ほか
駅 つくばエクスプレス「研究学園駅」からつくバスで10分

⑪ 平尾山公園「パラダ」昆虫体験学習館

「昆虫探検」や「標本教室」など、子どもから大人まで楽しめる体験プログラムが豊富な施設。夏のみオープンの「カブトムシドーム」では数百頭のカブトムシが、木々の間を飛び交う自然の様子を観察できます。

住 〒385-0003　長野県佐久市下平尾2681 電 0267-68-1111 開 9:30〜17:00※
休 なし（臨時休館する場合あり） 料 大人200円、小人（4歳〜15歳）100円ほか
車 上信越自動車道佐久平PA第二駐車場からエスカレーター直結

⑫ 竜洋昆虫自然観察公園

「サッカーとトンボのまち」磐田市にある、虫と人があつまる昆虫公園。毎年好評の「ゴキブリ展」や、名物キャラの「こんちゅうクン」など、自由かつユニークな切り口が人気です。

住 〒438-0214　静岡県磐田市大中瀬320-1 電 0538-66-9900 開 9:00〜17:00※
休 木曜日（祝日、正月（1/2〜5）、GW、夏休み期間は開館）、年末、元日 料 大人330円、小中学生110円、幼児/70歳以上無料ほか 駅 JR「磐田駅」から遠鉄バス掛塚線「小島」下車後徒歩20分（土日のみ「磐田駅」「豊田町駅」から無料シャトルバスあり） X @_ryukon

17
13
13
18
17
16
18
15
16
12
14
12
14
15
19
19
20
20
21
22
22
21
与那国島

⑬ 石川県ふれあい昆虫館

自然豊かな白山麓に位置する、日本海側最大級の昆虫館。標本や展示パネルを見るだけでなく、昆虫と触れ合うなど様々な体験ができる施設となっています。ゲンゴロウ類などの希少昆虫の飼育繁殖にも取り組んでいます。

住 〒920-2113　石川県白山市八幡町戌３番地 電 076-272-3417 開 4～10月 9:30～17:00※、11～3月 9:30～16:30※ 休 火曜日（祝日の場合は翌日）、年末年始 料 大人410円、小中高生200円、幼児無料ほか 駅 北陸鉄道石川線「鶴来駅」から徒歩20分 X @FurekonOfficial

⑭ 橿原市昆虫館

四季を通じ沖縄八重山地方の蝶が舞う放蝶温室など、昆虫のことを見て・聞いて・触って・感じることができる昆虫館です。「生き物とのふれあい」と「自然体験」をテーマに、生涯学習の場として利用できる施設です。

住 〒634-0024　奈良県橿原市南山町624 電 0744-24-7246 開 4～9月 9:30～17:00※、10～3月 9:30～16:30※ 休 月曜日（祝日の場合は翌日）、年末年始、夏休み期間中の月曜日は開館 料 大人520円、高・大学生410円、4歳以上中学生まで100円ほか 駅 近鉄「大和八木駅」南出口から橿原市コミュニティバス、「橿原市昆虫館」下車 X @KashiharaKonchu

⑮ 箕面公園昆虫館

東京の高尾、京都の貴船と並び「日本三大昆虫宝庫」と称される「箕面」の森の昆虫館。身近な昆虫から遠い海外の昆虫の標本や生体を幅広くとりあげ、驚きと発見を提供できる展示を通し、広くて深い昆虫の世界の魅力を発信。

住 〒562-0002　大阪府箕面市箕面公園1-18 電 072-721-7967 開 10:00～17:00※ 休 火曜日（祝日の場合は翌日）、年末年始 料 高校生以上280円、中学生以下無料ほか 駅 阪急箕面駅から徒歩15分（駐車場はありません） X @mino_insect

⑯ 伊丹市昆虫館

昆虫をはじめとする生きものとふれあい、親しみながら自然環境について理解を深めることができる、生きた昆虫の博物館。楽しみながら発見できる展示やユニークな内容の企画展が好評です。オリジナルグッズも充実しています。

住 〒664-0015　兵庫県伊丹市昆陽池3-1 電 072-785-3582 開 9:30～16:30※ 休 火曜日（祝日の場合は翌日）、年末年始 料 大人400円、中高生200円、3歳～小学生100円ほか 駅 JR宝塚線「伊丹駅」から市バス「松ヶ丘」または「玉田団地」下車 X @itakon25

⑰ 佐用町昆虫館

山間部にある小さな昆虫館。兵庫県昆虫館の閉館を惜しむ声を受け、昆虫学者や市民がNPOを結成して運営を引き継ぎました。「こどもとむしの秘密基地」を合い言葉に、昆虫や小動物に触れる体験の場を提供しています。

住 〒679-5227　兵庫県佐用郡佐用町船越617 電 0790-77-0103 開 4月～10月の土曜・日曜・祝日のみ開館（予約制）10:00～16:00 休 平日、11月～3月 料 無料 車 中国自動車道「山崎」または「佐用」インターから、車でそれぞれ約21km、25～30分

⑱ 広島市森林公園こんちゅう館

一年中チョウを見ることができる「パピヨンドーム」と、多様な生きた昆虫を展示する「昆虫ランド」。常時約50種1,000頭以上を生体展示する中・四国で唯一の昆虫館です。体験イベントも充実しています。

住 〒732-0036　広島市東区福田町字藤ヶ丸10173 電 082-899-8964 開 9:00～16:30※ 休 水曜日（祝日の場合は翌日）、年末年始 料 大人510円、高校生170円、小中学生・乳幼児無料ほか 車 山陽自動車道 広島東インターから車で10分、または広島駅から車で30分 X @Hirokon_insect

⑲ 平戸市たびら昆虫自然園

かつての日本の原風景であった畑、小川、池、雑木林、草はらなどの里山の環境を再現し、そこに集まる昆虫などの生きものを自然のままに観察していただく施設です。解説員が常時、解説案内を行っています。

住 〒859-4823　長崎県平戸市田平町荻田免1628-4 電 0950-57-3348 開 9:00～17:00（入園は16:00まで） 休 月曜日（祝日の場合は翌日）、年末年始 料 大人・高校生410円、小学生・中学生310円、幼児（4歳以上）150円 駅 松浦鉄道「たびら平戸口駅」から車で7分

⑳ 長崎バイオパーク

生き物たちとのふれあいが楽しめる動物園です。さまざまな昆虫の生体や標本などを観察できるだけでなく、温室ドームの中に入ると、亜熱帯から熱帯に生息するチョウたちが優雅に飛び回るさまを間近で見ることができます。

住 〒851-3302　長崎県西海市西彼町中山郷2291-1 電 0959-27-1090 開 10:00～17:00（入園は16時まで） 休 年中無休 料 大人1900円、シニア（60歳～）・中高生1300円、3歳～小学生900円 車 西九州自動車道佐世保大塔ICより車で約40分（ハウステンボスより無料シャトルバス（1日3往復・要予約）あり） X @ngsbiopark

㉑（公財）宮崎文化振興協会　大淀川学習館

宮崎を流れる大淀川の自然や生態系について体験・学習できる施設です。チョウが舞う「チョウのへや」や、高画質の立体映像を導入した「川のシアター」など、「見て、ふれて、楽しく学ぶ」体験型の施設となっています。

住 〒880-0035　宮崎県宮崎市下北方町二反五瀬5348番地1 電 0985-20-5685 開 9:00〜16:30 休 月曜日（祝日を除く）、休日の翌日（土曜日・日曜日・休日を除く）、年末年始 料 無料 駅 JR九州「宮崎神宮駅」から車10分または、宮交バス「大淀川学習館前」下車徒歩１分

㉒ アヤミハビル館

翅を広げた大きさが24cmにも達する世界最大級の蛾、ヨナグニサン（方言名：アヤミハビル）について展示しています。与那国の人々とアヤミハビルの関わり、絶滅危惧種や与那国島の環境保全活動について学ぶことができます。

住 〒907-1801　沖縄県八重山郡与那国町字与那国2114 電 0980-87-2440 開 10:00〜16:00 休 火曜日、祝祭日、6/23、年末年始 料 大人（高校生以上）500円、小人（小中学生）300円ほか 車 与那国空港から車で約15分 X @YonakamaClub

※ 入館（園）は閉館（園）の30分前まで

2024年3月現在の情報です。最新の開館時間や開館日、料金等の情報については、各施設のホームページをご確認ください。

●節足動物

関節のある足をもち、体表が外骨格で覆われるなどの特徴を持つ生物。すべての動物の中で最も種数が多く、多様性に富む存在。

昆虫や甲殻類（カニやエビなど）、クモ、ダニ、ムカデなどが含まれる。

●種

種とは、生物分類学の基準となる重要な単位。「交配して子孫を残すことができる生物のグループ」のことで、種と種は生殖的に隔離されている。図鑑では種の単位で昆虫を紹介している。

また地理的隔離などの要因により、同種でありながら特徴に大きな違いがあるものを、亜種として区別している。例えば日本の本州に生息するヒラタクワガタと、インドネシアに生息するスマトラオオヒラタクワガタでは、体とオオアゴの大きさ、幅、厚みに大きな違いはあるが、生殖可能であるため別種ではなく亜種として区別している。

昆虫は節足動物

●綱・目・科・属・種の違い

いずれも生物分類学の単位で、大きい順から綱、目、科、属、種となる。目と科の間に上科、科と属の間に亜科など、必要に応じてカテゴリーを設けることもある。

昆虫綱に分類される生物が、昆虫（昆虫類）である。昆虫綱を大きく分ける最初の単位が「目」で、トンボ目、バッタ目、カメムシ目、チョウ目、ハチ

ヒラタクワガタ

スマトラオオヒラタクワガタ

目、コウチュウ目などがある。

　例えばモンシロチョウは、昆虫綱・チョウ目・アゲハチョウ上科・シロチョウ科・シロチョウ亜科・モンシロチョウ属・種名モンシロチョウとなる。

●擬態

　天敵などから身を守るために、自分の姿や様子を他のものに似せること。

　昆虫では体の形や色彩を草や木に似せて身を隠したり、毒のある虫などを真似て敵をだましたりなど、さまざまな擬態が知られている。

翅を閉じると枯れ葉にそっくりなコノハチョウ

●標本

　生き物の場合は将来にわたって研究できるように、保存の工夫をしたもの。調べやすいように形を整えることが多い。

　チョウやガ、トンボなどの翅の位置をそろえる作業を展翅、甲虫やバッタなどの足（脚）の形を整える作業を展足（展脚）という。

ウスバシロチョウの展翅
（写真提供：矢野真志）

●累代飼育

　何世代にも渡って昆虫を繁殖させること。

　持続的に累代飼育を行うには、安定した餌と環境の確保だけでなく、飼育技術のマニュアル化なども必要となる。

●完全変態と不完全変態

昆虫が卵からふ化して成長し、成虫へと体の形を大きく変化させることを変態と言う。

幼虫と成虫の体型や暮らしぶりが似ていて、かつ蛹にならずに成虫になる変態様式のことを不完全変態（トンボ、バッタ、カマキリ、カメムシなど）という。一方、幼虫と成虫で体型や暮らしぶりが大きく異なり、蛹になって成虫になる様式を完全変態（チョウ、ハチ、コウチュウなど）という。

また、シミやイシノミの仲間のように、幼虫と成虫の体型がほぼ同じで、蛹にならず翅のない成虫となり、その後も脱皮し続ける無変態という様式もある。

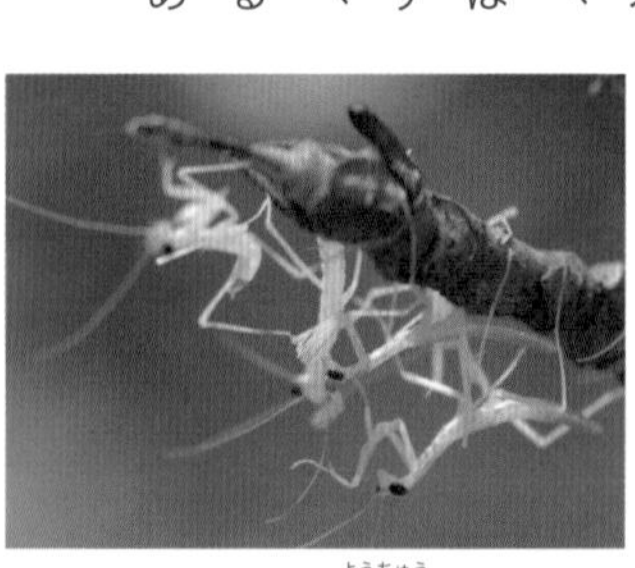

オオカマキリの幼虫

●脱皮

昆虫が成長して大きくなるために、体の表面を守っている皮を脱いで、新しい皮でできた体になること。クチクラと呼ばれる外側の硬い皮で体を支えている昆虫は、脱皮せずに成長することはできない。

残された古い皮が、抜け殻。昆虫以外にもエビやカニなどの節足動物で見られる。

アブラゼミの抜け殻

●齢（令）

脱皮によって区切られる幼虫の発育段階のこと。卵からふ化した直後が1齢（令）。その後、脱皮するごとに2齢、3齢と増えていく。

成虫または蛹になる直前は終齢幼虫と呼ばれ、その齢数は昆虫の種によって違う。生育状況やオスとメスで異なる場合もある。

● 羽化

昆虫の幼虫が成長し、成虫になること。不完全変態の場合は終齢幼虫から、完全変態の場合は蛹からの脱皮を指す。翅が生え、個体の移動能力が格段に向上するものが多い。

● 前翅長

前翅の付け根から先端までの長さ。チョウやガの大きさを示すのに使われている。以前は、左右の翅を広げた時の長さ(開張)が使用されていたが、現在は前翅長が主流。

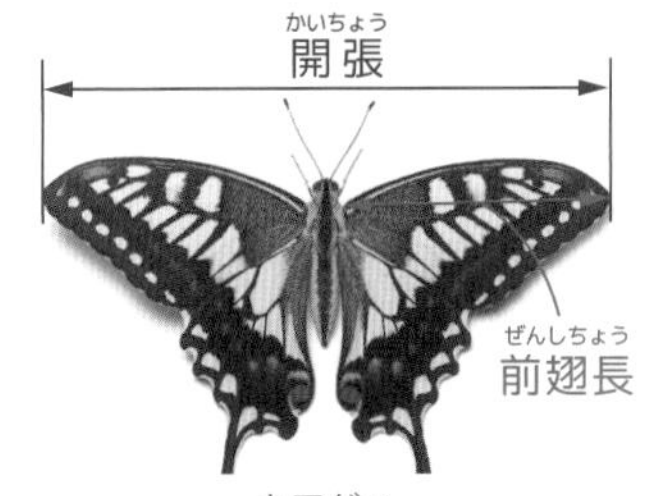

キアゲハ

● 腹脚

チョウやガなどの幼虫の腹部にある、いぼ状の歩行器官のこと。胸部にある脚(胸脚)とは構造が根本的に異なり、関節もないため厳密には「脚」ではない。

幼虫時代限定の脚のような働きをする器官。

● 各部の名称

前脚(ぜんきゃく)
前胸背板
会合線
前翅(鞘翅)
後脚(こうきゃく)
大アゴ
腿節
脛節
中脚(ちゅうきゃく)
触角
ふ節
爪
ミヤマクワガタ

腹脚(5対10本)
胸脚(3対6本)
アゲハ5齢幼虫

昆虫館へ行こう！

2024年5月9日　　第1刷発行

著者　全国昆虫施設連絡協議会

会長：渡部 浩文 / 事務局：東京都多摩動物公園　昆虫園
執筆協力：全国の昆虫館のみなさん
施設連絡調整：石島 明美

編集人　諏訪部 伸一　江川 淳子
発行人　諏訪部 貴伸
発行所　repicbook（リピックブック）株式会社
〒102-0084　東京都千代田区二番町9-3 THE BASE 麹町
TEL　070-4228-7824
FAX　050-4561-0721
https://repicbook.com
印刷・製本　株式会社シナノパブリッシングプレス

　ISBN978-4-908154-47-8